소상공인과 인플루언서 필독서

자영업자의 홀로서기 마케팅

이동윤

대한민국의 모든 자영업자들이

희망을 잃지 않고

스스로 우뚝 일어설 수 있는

그날까지 함께 하고 싶습니다

목차

자영업자에게

현 시점에서 가장 강력한

마케팅 수단은

인스타그램이 유일합니다

소상공인과 무자본 인플루언서를 응원합니다

욕망의 인스타그램을 출간하고 1년이 채 안 된 시점에 두 번째 인스타그램 책을 집필하게 되었습니다. 저자는 평소에도 소상공인들의 마케팅 방법에 관심이 많고 주로 강의, 컨설팅을 통해 시간과 비용을 적게 들이고도 효과적으로 소상공인들이 마케팅하는 방법을 끊임없이 연구해 오고 있습니다.

이번에 책을 출판하며 앞서 출판한 책의 내용을 보강하고 공급자(소상공인, 브랜드, 작은 사업체, 사장님)의 입장과 인스타그램에 무자본으로 돈을 벌고 싶은 영향력자들의 입장을 서로 비교해 보았습니다.

악어와 악어새와 같은 공생관계를 만들며, 서로 부족한 부분을 채워줄 수 있는 접점이 있고, 이것을 활용하면 서로에게 윈윈할 수 있는 새로운 마케팅 방법이 될 것이라고 확신합니다.

이때까지 인플루언서 마케팅이라는 개념이 없던 것은 아니었습니다만, 양쪽의 입장을 모두 고려한 마케팅 방법은 아니었다고 봅니다. 단순히 공급자가 인플루언서를 활용하는 방법에만 치중했다고 생각합니다. 마케팅은 누군가를 이용하는 기술이나 관계가 되어서는 안 됩니다.

1년 동안 인스타그램 자체에 너무 많은 변화가 있었고, 저자 역시 인스타그램이라는 플랫폼을 도구로 삼아 '마케팅 방법'이 많이 바뀌었습니다.

인스타그램의 기능은 자주 업그레이드되며, 이와 관련된 강의 영상은 유튜브에 넘쳐나니 키워드 검색만 해보면 금방 학습할 수 있습니다. 따라서 이번 책에서도 기능적인 측면은 유튜브 검색 키워드만 알려주고 직접 찾아서 보고 익히는 부분은 독자 여러분들의 몫으로 남겨두겠습니다.

이 책에서는 다음과 같이 크게 공급자와 인플루언서 관계로 나누어 설명하고 있습니다. 마치 악어와 악어새의 관계에 비유할 수 있습니다.

하나. 자신의 서비스나 제품(유/무형)이 있는 공급자의 입장
즉, 중소상공인 / 자영업자 / 프리랜서 / 1인기업가 등이 해당합니다.

둘. 자신의 서비스나 제품이 없는 인플루언서의 입장
단순 소비만 하고 그치는 것이 아니라, 소비한 제품을 콘텐츠로 만들고 이를 통해 수익을 만들어 내는 적극적인 소비자입니다.

인스타그램에는 공급자와 소비자 두 계층만 존재합니다. 순수한 목적으로 인스타그램을 사용하고 있는 분들이라면 당연히 이 책을 구매하지 않았을 것이고, 이 글을 읽고 있지도 않을 것입니다.

이 책이 얼마나 읽히게 되고 독자님들께 도움이 될지는 알 수 없으나 부디 정직하게 땀 흘리며 일하는 소상공인들과 무자본이지만 또한 한 편에서 열심히 일하는 인플루언서들에게 조금이나마 도움이 되면 좋겠습니다.

2024. 4. 30 저자 이동윤

컨설팅과 교육문의 orangeki@naver.com

인스타그램으로는 돈을 벌 수 없습니다

빌 게이츠가 한 말 중에 Contents is king! (1996. 3. 1)이라는 명언이 있습니다. 콘텐츠가 왕이다. 맞습니다. 좋은 콘텐츠는 친구를 만들어 주고 더 나아가 나를 유명하게 만들고 궁극적으로는 내가 인스타그램을 하든 유튜브를 하든 돈을 벌게 해줍니다.

그런데 말이죠. 사실은 돈은 우리가 벌지 못하고 있습니다. 우리는 블로그에, 인스타그램에, 유튜브에 무상으로 우리의 좋은 콘텐츠를 무한정 공급합니다. 블로그에 글을 쓰면 네이버가 돈을 주나요? 인스타그램은요? 유튜브는요? 직접적으로 원고료라는 개념으로 돈을 콘텐츠 제작자에게 주지는 않습니다. 플랫폼 사업자는 콘텐츠를 올릴 시장만 만들고 운영하고 실제 그 플랫폼에 콘텐츠를 올리는 우리는 돈을 벌지 못합니다.

물론 광고가 붙어 수익이 생기기도 합니다. 네이버 블로그에서는 애드포스트, 홈페이지 운영은 애드센스, 유튜브도 애드센스를 설정하고 일정 조건을 만족해야 내 콘텐츠에 광고를 끼워서 그걸 노출하고 광고 수익을 플랫폼과 나누게 됩니다. 광고 수익은 콘텐츠 제작자에게 골고루 분배되지도 않습니다. 결국 광고가 많이 붙는 대형 인플루언서, 유튜버들에게만 쏠리게 되는 현상이 자연스럽게 나타납니다. 그러니 남의 콘텐츠를 베끼고 여러 개의 계정을 공장 돌리듯 운영하면서 쓸모없는 콘텐츠를 양상하고 있는 사태가 발생하기도 했습니다.

최근엔 인스타그램에서도 광고 수익 시스템을 도입하는 중입니다. 결국 사람들은 돈을 주는 곳으로 움직이게 되어 있습니다. 에드포스트로 수익을 낼 수가 없던 많은 블로거가 유튜브로 옮겼던 것처럼 결국 인스타그램도 돈을 주는 플랫폼에 이용자들을 뺏길 수밖에 없다는 긴장을 항상 하고 있을 겁니다.

플랫폼은 종종 어장에 비유하고 합니다. 어장이 망가져서 물고기가 빠져 나간다면, 결국 광고주들도 떠납니다.

직접적으로 돈을 받지도 못하는 플랫폼에 우리는 자기 돈을 써가며 콘텐츠를 만들고 있는 것이죠. 그러면 우리는 도대체 어디서 수익을 만들어야 할까요? 광고 수익도 안 생기는 플랫폼에서 무엇을 해야 수익이 생길까요?

여기서 인스타그램을 하는 목적을 분명하게 정해야 내 돈을 쓰더라도 더 많은 돈을 벌 수 있고, 내 매장을 홍보하고 손님들을 끌어올 수 있고, 내가 파는 제품을 더 많이 팔 수 있고, 계정을 키우고 팔로워가 많아지고 협찬받고, 원고료를 받고 리뷰 콘텐츠를 만들고 공동구매를 진행하여 수익을 만들 수 있습니다.

아직 인스타그램을 하는 이유가 개인적인 취미이자 소소하게 소통하는 목적이라고 생각하신다면, 이 책을 덮으세요. 그리고 쓰레기통에 던져 넣어도 좋습니다.

인스타그램으로 마케팅하고 싶은 자

저자는 캠핑 유튜버와 캠핑 인스타그램을 하면서 이제는 마이크로 인플루언서의 수준은 넘어섰다고 생각합니다. 비중은 70:30 정도로 유튜브에 더 집중하는 편이지만, 실제 저자에게 도움이 되는 쪽은 유튜브가 아니라 인스타그램입니다. 수많은 중소규모 캠핑브랜드 대표들, 캠프장 사장님, 밀키트 업체 대표, 유통업체 마케터들과 인스타그램으로 친해지고 커뮤니케이션하고 있습니다. 유튜브에서의 커뮤니케이션은 대부분은 구독자가 대상하고, 구독하는 사람 중에서는 업체 대표들도 있긴 하겠지만, 아이디만 봐서는 알 수도 없고, 영상 시청만 하는 유튜브 이용자들은 자기가 티를 내지 않으면 사실 누군지도 알 수도 없습니다.

그런데 인스타그램은 유튜브와 완전히 다른 점이 있습니다. 유튜브는 블로그와 같습니다. 콘텐츠를 만드는 사람과 그걸 소비하는 층이 명확히 나뉘어 있습니다. 물론 채널을 운영하는 유튜버가 다른 채널도 구독하고 영상 시청을 하면 곧, 콘텐츠 제작자가 구독자라는 말을 할 수도 있으나, 그 비율이 매우 낮고 구독자가 유튜버가 되는 일도 흔한 일은 아닙니다. 영상을 촬영하고 편집하고 채널을 운영한다는 것이 만만치 않은 일이기 때문이기도 합니다.

인스타그램은 대한민국 캠핑씬의 특징인지는 모르겠으나 소규모 제작사(브랜드)가 많고, 마케팅을 업체 대표자가 직접 하는 사례가 흔합니다. 브랜드에 따라 규모가 있으면 아예 계열사 마케팅팀이나 홍보 담당자가 있긴 하지만, 저자가 아는 범위 내에서는 5% 미만 수준입니다. 그래서 DM을 주고받다가 물어보면 홍보 담당이라고 대답할 때는 회사의 규모가 중소기업 정도의 수준은 되고, 제조사보다는 유통업체인 경우가 많습니다. 코로나 때 캠핑 붐을 타고 취급품을 캠핑으로 바꾸었을 뿐 원래 유통업은 대체로 규모가 있는 편이고, 마케팅도 내부에서 처리하는 회사가 많습니다. 요즘은 마케팅팀 없이 유통 브랜드를 할 수가 없는 세상이라 마케팅에 대한 이해도 높은 편입니다.

문제는 1인 회사나 규모가 아주 작은 브랜드입니다. 대부분 영세하고 직원이 없거나 마케팅 담당자 없이 대표들이 기획, 생산위탁, 품질관리, 배송, CS, 홍보 등 모든 일을 다 하고 있기에 마케팅을 배우거나 해볼 엄두도 못 내는 것이 현실입니다. 그래서 가장 콘텐츠 제작이 쉬운 편인 인스타그램을 홍보 채널로 이용하고는 있지만, 인스타그램에 대한 이해 없이 제품 사진만 올리는 온라인카탈로그의 용도로만 사용하고 있습니다.

제품력이 어마어마하다면 사실 사진 몇 컷과 편집도 하지 않고 막 찍어서 올린 릴스만으로 충분하다지만, 서류 봉투에서 쓱 꺼내는 맥북 같은 제품은 세상에 더 이상 존재하지 않습니다. 특히 대체재가 넘쳐나고, 서로 카피하고, 가격경쟁이 심한 분야에서는 인스타그램에 단순 사진만 올리는 행위는 사실 아무것도 하지 않는 것과 마찬가지일 정도로 그 효과가 미미합니다.

그래도 깨어 있는 대표들은 인스타그램을 하면서 열심히 다른 브랜드(경쟁사 포함)의 계정도 팔로우하고 콘텐츠를 참고하거나 이벤트 내용을 참고해서 그대로 운용하기도 합니다. 콘텐츠를 그대로 베끼는 것도 아니고, 타사의 제품 홍보방식을 자사의 제품 홍보방식에 사용하는 것은 누구나 그렇게 하는 겁니다. 그래서 리그램 이벤트를 하고 싶다면, 인스타그램에서 #리그램 #이벤트 같은 해시태그를 검색해 보면 리그램 상태의 게시물도 보이고, 원본 게시물도 보입니다. 몇 개를 참고해서 재치 있게 적어놓은 글은 참고해서 써먹기도 해야 하고, 이벤트 방식이나 경품에 대한 정보도 참고하면 됩니다. 괜히 끙끙대며 작문할 필요도 없다는 것입니다.

사진을 잘 못 찍는다면 제품 사진을 잘 찍어줄 만한 사진가를 찾는 것이 아니라, 내 제품이 속한 카테고리의 인플루언서 중에서 사진을 잘 찍는 사람을 찾아내고, 제품을 제공하고, 필요하다면 사진 촬영비도 제공하면서 사진을 얻어내면 됩니다. 대부분 이건 인플루언서는 해당 카테고리의 제품을 많이 가지고 있으므로 여러분이 제공한 협찬품을 돋보이게 찍을 줄 아는 능력을 갖추고 있습니다. 스튜디오를 빌려서 소품을 다 마련하고 사진가를 섭외해서 사진을 찍는 것보다 훨씬 저렴하고 다양한 사진을 많이 건지는 방법입니다.

인플루언서는 너무나도 많고 쉽게 찾을 수 있고, 그리고 여러분의 협찬 제의에 긍정적이며, 또한 협찬받았다는 사실로도 행복해하는 사람들이 많습니다. 우리가 마이크로 인플루언서라고 부르는 사람들입니다. 말 그대로 팔로워 수가 적습니다. 보통 10만 ~ 1만 명 정도의 규모를 마이크로라고 부르지만, 요즘은 5000~3000 정도의 규모라도 어떤 특정한 카테고리에서만 인스타그램을 운영하는 초마이크로 인플루언서가 더 효과적이기 때문에 여러 개의 계정을 운영하는 인플루언서도 많습니다.

인스타그램으로 마케팅하고 싶다면, 직접 계정을 운영하는 방법도 있고, 인플루언서들과 협업해서 내가 콘텐츠를 생산할 필요 없이 인플루언서들에서 생산되는 콘텐츠로 내 계정을 채워나가는 방법도 있다는 것을 알고 있어야 합니다. 단순 제품협찬부터 콘텐츠 제작 비용(영상제작비 혹은 원고료)을 지급하는 형태, 일정 기간 계약을 맺고 콘텐츠 업로드를 보장하는 앰배서더 방식 등 인플루언서를 활용한 손대지 않고 코 푸는 방법을 설명해 드리려 합니다.

저자도 부캐인 캠핑 유튜버를 하면서 인스타그램에서 캠핑 인플루언서 활동을 하고 있으므로, 뜬구름 잡는 소리가 아닌 구체적으로 적용해 볼 수 있는 방법과 노하우를 인플루언서와 업체, 양쪽 관점에서 모두 알려드리겠습니다.

7일간 이 책을 나눠 읽으세요

이 책은 이론, 원론적인 이야기는 하나도 없습니다. 심지어는 마케팅 용어조차 사용하지 않을 것입니다. 대신 인간의 심리에 관한 내용을 많이 다루게 될 것입니다. 꼭 써야 할 용어가 나오면 쉽게 풀어서 사용하겠습니다만, 그림책처럼 인스타그램을 캡처하고 표시를 해두겠습니다.

단, 인스타그램의 기능에 관해서는 이야기하지 않습니다. 이미 블로그나 유튜브에 많이 있는 기술적인 강의는 종이 낭비일 뿐입니다. 대신 찾아봐야 할 영상이 있다면, 검색 키워드를 알려드리겠습니다.

우선 이 책을 보는 사람들은 인스타그램이라는 앱을 스마트폰에 깔았고, 한 번쯤은 누군가의 글을 봤고, 직접 사진이라도 올려봤다는 가정하에서 설명하도록 하겠습니다. 완전 0 상태라면 주변 지인에게 인스타그램 하는 법을 조금이라도 설명해달라고 하세요. 서점에서 완전 기초를 다루는 책도 병행하여 공부하시면 좋겠습니다.

이 책은 인스타그램이 설치되어 있고 아무것도 하지 않은 상태에서 출발합니다. 즉, 여러분은 최소한 스스로 인스타그램 앱을 스마트폰에 스스로 설치할 수 있는 수준은 되어야 합니다.

1일 차부터 7일 차까지 목차를 구성하고, 점점 독자 여러분들의 계정을 목적에 맞게 다듬어 가면서, 콘텐츠도 올리고 어떤 글을 써야 할지 예시를 들어가면서 설명합니다. 그리고 목차마다 반드시 해야 할 미션을 드립니다. 물론 빠르게 진도를 나가고 싶다면 하루에도 여러 목차를 섭렵해도 되지만, 미션을 완수해야 의미가 있습니다. **1:1 컨설팅에 관한 내용은 책의 뒤편에 정리해 두었습니다.**

사장님들 인스타그램 열심히 하지 마세요!

내 제품을 인스타그램으로 많이 알리고 매출도 일으키고 싶다! 라고 생각하는 사장님들은 이 책을 보고 지금까지 해왔던 단순한 마케팅 방법을 전면 수정해야 할 것입니다. 그동안 이것저것 해왔던 사장님들이 성과가 나지 않았던 이유는 아래와 같습니다. 아직 마케팅이란 건 해본 적도 없는 사장님들은 희망을 품으세요. 안 해도 되는 것들이 너무 많습니다.

중소상공인, 자영업자, 브랜드 등 공급자로서
[굳이 할 필요가 없는 인스타그램 마케팅]은 다음과 같습니다.

1. 팔로우를 늘리는 데 집착할 필요가 없습니다.
   - 핵심 팔로우만 관리하세요.
   - 100K 팔로우는 사실 5분 만에도 만들 수 있습니다.

2. 1일 1피드, 그딴 거 굳이 안 해도 됩니다.
   - 인스타그램이 재미있다면 하루 몇 개라도 상관없습니다.
   - 대신 남에게 시키지 말고 직접 하세요.

3. 절대 시간 낭비하지 말아야 하는 것들.
   - 예쁜 사진 잘 찍는 법
   - 콘텐츠 디자인 잘하는 법
   - 릴스 잘하는 법

4. 마케팅 대행사에 의뢰하지 마세요.
   - 돈을 많이 써야 효과가 나옵니다.
   - 대행을 끊는 순간 매출이 떨어집니다.
   - 여러분들이 돈을 벌고 잘되기를 바라는 건 부모님밖에 없습니다.

인플루언서는 인스타그램 미친 듯 하세요!

인스타그램으로 협찬도 받고 돈도 벌고 싶으신가요? 저자는 이미 그렇게 하고 있습니다. 47세의 외모도 별로인 중년남이고 극 I 성향인데, 인플루언서로 돈은 잘 벌고 있습니다.

이미 엄청난 팔로워를 거느린 인플루언서라면 끊임없는 협찬 제의, 공동구매, 콘텐츠 제작 원고료 등 한 달 몇백만 원에서 몇억 원까지 벌어들이고 있습니다. 저자도 몇억은 못 벌지만 몇백만 원은 벌고 있습니다. 심지어는 본캐가 아니라 부캐 활동이죠.

대부분 어지간한 연예인들보다 많이 버는데, 여러분들이 대형 인플루언서를 목표로 잡으면 돈도 못 벌고 성공하기도 어렵습니다. 그래서 연예인과 같은 두루두루 인플루언서가 아닌 특정 분야에 특화된 [마이크로 인플루언서 or 전문가]가 되어야 합니다.

특정 분야에 특화된 마이크로 인플루언서가 되려면
[꼭 해야 하는 인스타그램 마케팅 방법] 은 다음과 같습니다.

1. 팔로워 관리를 꾸준히 잘해야 합니다.
- 팔로워 수는 내 게시물의 양과 비례해야 합니다.
- 이 책에서 다루는 여러 방법으로 팔로우를 늘려야 합니다.
- 협찬을 해주는 브랜드 담당자(직원)는 정량적인 부분을 먼저 봅니다.

2. 콘텐츠는 많이 자주 발행하는 것이 좋습니다.
- 브랜드가 보기에 진심인지 아닌지 알려주는 방법은 콘텐츠 수량입니다.
- 1타 3피 정도는 고려하고 다량 생산 방법을 배워야 합니다.
- 내가 올린 콘텐츠는 타 브랜드 담당자, 광고주도 보고 있습니다.

3. 한 분야에 전문가 수준의 덕후가 되어야 합니다.
- 잘 모르는 분야는 콘텐츠에서 티가 납니다.
- 제일 자신 있는 분야만 하나의 계정에서 다뤄야 합니다.
- 여러분에게 관심이 있는 것이 아니라, 물건에 관심이 있는 겁니다.

3. 돈이 목적이지만, 숨겨야 합니다.
- 모든 콘텐츠는 목적을 담아야 합니다.
- 그 목적이 돈으로 비치면 안 됩니다.
- 대신 돈 바로 앞 단계를 목적으로 삼아야 합니다.

4. 거절을 당하는 것에 당당해지세요.
- 협찬 제의가 들어오는데 많은 시간과 노력이 듭니다.
- 마음에 드는 제품이나 브랜드는 먼저 접촉해야 합니다.
- 팔로워 숫자보다는 진심 어린 DM이 통할 때가 많습니다.
- 협찬 거절은 너무 당연한 일입니다. 상처받지 마세요.

5. 모두와 친구가 될 필요는 없지만, 적을 만들지도 마세요.
- 절대 비교하는 콘텐츠 올리지 마세요.
- 단점을 굳이 말하지 마세요.
- 누군가는 내가 남긴 글을 봅니다. 광고주입니다.

6. 이 책에서 사장님들께 전하는 이야기를 자세히 보세요.
- 인스타그램으로 돈을 벌고 싶다면 브랜드와 친해야 합니다.
- 여러분들의 인스타그램 행적을 브랜드에서 봅니다.
- 사장님들과 관계를 맺는 법을 알려드립니다.

1일 차

계정 콘셉트 정하기

일관된 주제로 운영해야 합니다

파파스캠핑 @papas__camping 인스타그램

저자는 취미인 캠핑을 콘셉트로 파파스캠핑이라는 인스타그램 계정을 운영하고 있으며, 만 3년째 인플루언서로 활동하고 있습니다. 2024년 2월 2일 기준 팔로워 7,245명 정도이며, 아직 10K도 되지 않은 마이크로 인플루언서라고 할 수 있습니다. 인플루언서는 누가 권한을 주는 것도, 인증해 주는 것도, 자격증이 있는 것도 아닙니다. 그리고 팔로워의 숫자로 결정되는 것도 아닙니다.

그냥 내가 인플루언서의 입장으로 이 계정을 운영하고 있다는 인상을 주면 됩니다. 누군가가 제 계정을 방문해서 지금 독자 여러분처럼 프로필 화면을 보고 있다면, 몇 번의 스크롤로 휘리릭 훑어보고 뭐 하는 계정인지 주제는 무엇인지 한눈에 알 수 있습니다.

그래서 인스타그램은 컨셉트가 매우 중요합니다.

이것저것 내키는 대로 사진과 글, 영상을 올리면 다른 사람들이 보기에 뭐한 계정인지 알 수도 없고, 팔로우를 해 봤자 제대로 된 정보를 얻기 어렵다고 순간적으로 판단하게 됩니다. 기껏 팔로우했는데, 관심 없는 게시물이 계속 올라온다면 언팔(팔로우 취소)할 수도 있고요.

간혹 아무거나 막 올리는 거 같은데, 팔로워가 아주 많은 계정이 있습니다. 이를 다른 말로 셀럽 혹은 연예인이라고 합니다. 그 사람 자체가 콘셉트이므로 어떤 것을 보여주든지 보는 입장에서는 아무 상관이 없죠.

오히려 엉뚱한 것, 사적인 것을 올릴수록 사람들은 더 환호하게 됩니다. 우리가 TV에서 관찰 예능을 보는 이유도 연예인들의 사생활을 보고 싶어 하기 때문입니다. 저자가 앞서 언급한 [욕망의 인스타그램]에서 인스타그램은 관음과 노출 2가지 단어로 규정지을 수 있다고 했습니다.

이 책을 보고 있는 여러분은 셀럽도 연예인도 아니고, 그렇다고 개인사를 노출할 필요도 없습니다. 아무도 관심이 없기 때문입니다. 어쩌면 오히려 개인적인 내용을 공개하는 것은 위험을 초래할 수도 있습니다.

관심사가 아주 많다면, 인스타그램 계정을 여러 개 나눠서 운영하는 것도 좋은 방법입니다.

공급자로서 계정 콘셉트 잡기

공급자 입장은 중소상공인을 포함한 사장님들 혹은 작은 브랜드를 의미합니다. 인스타그램으로 무언가 제품을 홍보하거나 팔아야 하는 상황입니다. 인스타그램을 조금이라도 해보거나 공부해 본 사장님이라면 인스타그램으로 내 제품과 가게, 서비스를 알리는 일이 말처럼 쉽지 않다는 경험을 해봤을 겁니다.

누구나 인스타그램으로 홍보하려고 하고, 이미 잘하고 있는 브랜드도 많습니다. TV 등의 전통적인 광고매체는 이미 대기업이 선점하고 있고, 그나마 홍보비용이 적게 들어간다고 생각한 SNS에도 블로그에도, 유튜브에도 대기업과 중소기업, 나와 같은 작은 브랜드의 경쟁자들이 살아남기 위해 어마어마하게 시간과 돈을 쏟아붓는 상황입니다.

그럼, 공급자로서는 어떤 방식으로 콘셉트를 잡고 계정을 운영해야 하느냐 고민이 될 것입니다.

1) 카탈로그 방식의 제품 정보 전달 유형
2) 제품과 관련된 정보성 콘텐츠 제공 유형
3) 본인 등판으로 고객과의 소통 유형
4) 이벤트 위주의 리그램 유형

정리한 4개의 유형은 책에서 하나씩 차차 자세히 다루기로 하겠지만, 저자는 최대한 이 책을 읽는 사장님들이 [인스타그램 할 시간이 없다] / [어려워서 못하겠다]라는 변명을 하지 못하도록 제일 쉬운 방법을 선정해서 내용을 이어가도록 하겠습니다.

몇 번 하다가 포기하게 되는 계정 콘셉트

2) 제품과 관련된 정보성 콘텐츠 제공 유형, 3) 본인 등판으로 고객과의 소통 유형 2가지는 인스타그램 계정을 키우고 고객과 소통하는 가장 교과서적인 방법입니다. 그래서 고객과의 관계 형성에 시간 투자가 많이 필요하고 콘텐츠를 만들기 위한 사전 조사, 공부 등의 부가적인 노력이 들어갑니다. 그리고 언젠가는 정보성 콘텐츠의 한계가 오고, 더 이상 고객에게 줄 정보가 없어서 게시물 발행이 뜸해지게 됩니다.

이런 방식으로 운영을 할 수 있는 계정은 끊임없이 정보를 줄 수 있는 원천소스가 있는 계정이어야 합니다. 맛집이나 지역 정보를 소개해 주는 광고 계정이 대표적인 사례입니다.

내가 사업을 계속하는 동안 콘텐츠를 끊임없이 만들 수 있지만, 하나의 주제를 가지고 운영하는 인스타그램의 특성상 불가능합니다. 그리고 정보는 다양성과 전문성을 가져야 하는데 내가 판매하는 제품이나 서비스의 범위는 한정되어 있습니다. 콘텐츠가 고갈되었다고 콘셉트에 벗어나는 내용을 올릴 수도 없습니다.

인스타그램 관련 도서나 강의에서 자주 언급되는 좋은 사례 중에 이니스프리(@innisfreeofficial), 한국민속촌(@koreanfolkvillage) 계정을 살펴보면, 콘텐츠를 어떻게 끝도 없이 생성하는지 살펴볼 수 있습니다. 이니스프리는 대기업입니다. 당연히 전담팀이 있고, 한국민속촌은 속촌 아씨라는 가상의 인격체를 내세워 고객과 소통하는 방식으로 운영합니다.

정석의 방법으로 오랜 시간과 비용을 투자하여 인스타그램을 잘 키우고 활용하는 사례는 찾아보면 얼마든지 있습니다. 하지만 이런 사례는 소상공인들에게 당장 효과도 없고 하고 싶어도 할 시간이 없다는 건 굳이 말할 필요도 없습니다.

정리하자면, 정보 제공을 콘셉트로 하거나 고객과의 소통을 꾸준히 하는 방식은 손에서 스마트폰을 내려놓을 수 없을 정도로 노력이 많이 들어갑니다. 이 방법은 더 이상 언급하지 않겠습니다.

소상공인, 작은 브랜드가 해야 할 계정 운영 콘셉트

1) 카탈로그 방식의 제품 정보 전달 유형, 4) 이벤트 위주의 리그램 유형 2가지는 최소한의 노력과 시간으로 인스타그램을 운영하는 방법이 됩니다.

우선 이 부분을 읽고 있는 사장님들이 생각을 바꾸셔야 할 부분이 있습니다. 내 제품과 서비스를 알리는 건 직접 해야 할 일임은 분명하지만, 내가 스피커가 될 필요는 없다는 것입니다.

여기서 저자가 말하는 스피커의 의미는 '내가 말한 것을 대신 전달해 주는 사람'입니다. 즉 내 브랜드의 팬이, 고객이, 예비 고객이 나의 스피커가 되어야 한다는 것입니다.

마케팅과 브랜딩에 관심을 두고 서점에서 책 제목이라도 본 구독자라면 고객을 여러 단계로 나누고 예비 고객부터 구매 고객, 그리고 팬으로까지 이어지게 만드는 브랜딩이나 팬마케팅에 관한 내용을 알고 있을 겁니다.

1~2년 사업을 하다가 접을 것이 아니라면, 당연히 공부해야 할 부분이지만, 너무 멀리 있는 목표를 위해 지금 중요한 것을 놓치게 되니 브랜딩은 조금만 뒤에 생각하기로 하고 지금은 매출을 높이는 방법에 몰두해야 할 시기라고 생각합니다.

1) 카탈로그 방식의 제품(서비스) 정보 전달 유형, 4) 이벤트 위주의 리그램 유형 2가지는 사실 동시에 진행해야 하는 방법입니다.

여러분이 제품 하나를 온라인에서 판매한다고 가정하면 상품을 설명하는 상세페이지를 만들게 됩니다. 세로로 길게 죽죽 내려가는 긴 카탈로그나 제품 설명서 같은거죠. 상세페이지를 만들려면 사진이나 동영상, 설명글이 필요합니다. 이 제품을 제일 잘 설명할 수 있는 사람도 사장님들이고 어떤 각도에서 사진을 찍어야 제일 잘 보일지 아는 사람도 사장님들입니다. 동영상도 마찬가지고요.

각자의 개인차는 있으므로 글을 작가들처럼 잘 쓰는 사람도 있을 것이고, 사진을 잘 찍는 사람도 있을 겁니다. 그런데 그것은 중요하지 않습니다. 왜냐하면 여러분들이 만든 콘텐츠는 직접적으로 여러분들의 고객들에게 전달하는 목적보다는, 여러분들의 제품과 서비스를 [학습]할 대상에게 정확한 정보를 준다는 목적만 달성하면 됩니다.

소위 잘 만들었다! 콘텐츠 진짜 좋다! 이럴 필요가 없습니다. 이왕이면 다홍치마가 맞지만, 보기 좋은 콘텐츠가 매출과 직접적으로 연결된다고 단정 지을 수 없습니다. 그래서 여러분들의 스피커가 될 사람들에게 홍보 가이드를 준다는 정도의 콘텐츠만 만들면 됩니다.

사장님들은 최소한 자신의 브랜드 제품(서비스)들을 사진과 동영상을 찍어서 인스타그램에 올리고 특장점을 아주! 자세하게 쓰면 됩니다. 블로그가 있다면 더 자세하게 쓰면 되고, 홈페이지를 만들어도 됩니다.

이후에는 위 내용들을 스피커가 될 사람들이 알아서 자신들의 스타일에 맞게 변형하고 / 요약하고 / 추가해서, 여러분들의 고객들이 좋아할 콘텐츠를 재생산하게 될 것입니다. 그러니까 어떻게? 이게 궁금하죠?

책에서 다룰 내용들도 어떻게? 에 맞추어 집중적으로 설명합니다. 여러분들에게 필요한 스피커를 찾고 관계를 맺고, 콘텐츠를 만들게 하는 핵심적인 방법들을 이제 인플루언서들의 관점에서 살펴보겠습니다.

인플루언서 관점에서 계정 콘셉트 잡기

인플루언서를 인스타그램의 범주 안에서만 정의하자면, 저자의 책에서는 특정 분야에서 끊임없이 정보성 콘텐츠를 생산하고, 팔로워들과 소통하며, 영향력을 행사할 수 있는 사람 혹은 계정을 말합니다.

요즘은 부캐라는 개념도 있으니 굳이 자신을 드러내지 않아도 되고, 관심사가 다양하다면 부캐2, 부캐3 등 계정을 계속 만들어서 활동해도 됩니다. 여러 우물을 파다가 하나가 터지면, 나머지 부캐도 자연스럽게 성장시킬 수 있습니다.

인플루언서가 되려고 하는 목적을 명확하게 정하고 콘셉트를 잡는 것이 중요하겠죠? 인스타그램에서는 영향력인 것은 곧 돈을 의미합니다. 팔로워는 많은데, 좋아요도 많고, 댓글도 많은데 돈으로 연결이 되지 않는다면 아무런 의미가 없습니다. 그래서 무작정 평소 좋아하는 것을 다루는 계정을 운영하면 안 됩니다. 그 주제가 돈이 되냐 아니냐를 먼저 따져야 합니다.

처음부터 쉽게 계정을 키우고 싶다면, 사람들이 인스타그램에서 제일 많이 보는 것이 무얼까 생각해 보면 됩니다만 이미 그런 주제는 모두 선점 당했다고 보면 됩니다. 가장 흔한 주제가 먹는 것에 관한 것이죠. 각 지역명으로 인스타그램에서 해시태그 검색을 해보면, 지역 음식점 정보를 돈을 받고 올려주는 맛집 계정들이 대표적인 예입니다. 이제는 이런 계정 업체 간의 경쟁도 심해서 중복 콘텐츠도 많고 먹거리 이외에도 해당 지역의 각종 광고가 올라오는 광고판이 되어버린 지 오래입니다.

그러면 일반인들은 어떤 콘셉트로 인플루언서 계정을 운영해야 할까요?

마이크로 인플루언서를 목표로 우물을 여러 개 파세요.

마이크로 인플루언서, 메가 인플루언서라는 말을 들어보셨나요? 팔로워 숫자를 보고 임의로 나눈 기준이라고 보면 됩니다.

- 나노 인플루언서 - 100 ~ 1,000명 미만의 팔로워 보유
- 마이크로 인플루언서 - 천명 ~ 1만 명 팔로워 보유
- 미드티어 인플루언서 - 1만 명 ~ 10만 명 팔로워 보유
- 매크로 인플루언서 - 10만 명 ~ 100만 명 팔로워 보유
- 메가 인플루언서 - 100만 명 ~

위 단계에서 현실적으로 돈을 벌 수 있는 급은 마이크로 인플루언서부터입니다. 매크로 이상의 경우를 흔히 셀럽이라고 부르며, 연예인 이상의 광고료를 받고 콘텐츠를 올리는 특수집단이라고 보는 것이 맞습니다.

저자도 부캐 계정을 만들고 운영하면서 2,000명 정도의 팔로워가 생기면서부터 본격적으로 협찬 제의를 받기 시작했는데, 현재는 8,000명 정도로 여전히 마이크로 인플루언서 영역이지만, 어지간한 제품은 현물협찬을 거의 다 받고 있습니다.

부캐로서 돈을 벌고 싶다면, 마이크로 인플루언서를 목표로 두고 딱 1개의 콘셉트로만 계정을 운영해야 합니다. 만약 독자 여러분들이 컨셉트가 잡기 힘들어한다면 남들이 다 하지만 그중에서 더 뾰족하게 콘셉트를 잡으라고 조언해 드리고 싶습니다.

예를 들자면, 음식점 소개를 하는 먹계정을 운영할지라도 베이커리만 다룬다든지, 비건 음식만 다루면 됩니다. 아니면 돼지국밥 단 하나가 주제가 되어도 됩니다. **핵심은 폭넓은 것이 아니라 뾰족하게입니다.**

저자도 캠핑이라는 큰 주제 아래에서 오토캠핑, 다시 캠핑용품리뷰까지 아주 세밀하게 콘셉트를 잡고 있습니다. 이렇게 뾰족하게 계정의 콘셉트를 잡고 시작해야 하는 이유는 다음과 같습니다.

계정 컨셉트가 뾰족해야 하는 이유

1. 두루뭉술하게 이것저것 다루다 보면 나만의 개성이 없어진다.
2. 작게 시작하면 피봇하며 확장하면 되지만,
   처음부터 대 카테고리로 시작하면 확장할 수 없게 된다.
3. 포괄적일수록 콘텐츠를 만들기 어려워진다.
4. 팔로워들과의 소통도 광범위해진다.

위와 같은 이유로 저자는 캠핑용품 위주의 콘텐츠를 주로 올리는데, 여기서 좀 더 확장하면, 리뷰라는 범주 안에서는 캠핑장 리뷰, 노지리뷰, 캠핑용품점 리뷰 등으로 넓혀 나갈 수 있습니다.

만약 요리 콘텐츠도 올리고 싶다면 캠핑 요리만 다루는 것이 아니라 어떻게든 캠핑용품(조리도구)과 요리를 함께 콘텐츠로 만드는 것이 유리해집니다. 처음에는 뾰족하게 시작해도 콘텐츠에 질리거나 한계가 올 때는 피벗(방향성 변경)을 시도해야 하는데, 같은 캠핑이라는 대카테고리에 있더라도 너무 확 변경하는 것보단, 원래 하던 콘셉트를 유지하면서 확장하는 것이 좋습니다.

다시 말해 저자의 캠핑 계정에서는 갑자기 여행지 소개라든지 캠핑이 아닌 숙소리뷰 등은 맞지 않는다는 의미입니다.

우물을 파도 돈이 되는 콘셉트를 잡아야 하는 이유

인플루언서 입장에서 인스타그램으로 돈을 벌기 위해서는 여러 방법이 있지만, 가장 쉬운 것부터 순서대로 나열해 보겠습니다.

1. 제품/서비스 협찬
2. 제품/서비스 협찬 + 콘텐츠제작비(원고료)
3. 플랫폼 어필리에이트
4. 공동구매, 위탁판매
5. 자체 제품 판매

4단계부터는 마이크로 인플루언서는 노력 대비 수익이 나오지 않을 수 있으므로 1~3번의 방법으로 돈 되는 콘셉트 계정 이야기를 해보려고 합니다.

우선 위에서 언급한 인플루언서가 돈을 버는 방법은 말 그대로 나의 팔로워를 기본 타겟으로 하는 활동이라 할 수 있습니다. 따라서 팔로워 수가 어느 정도는 뒷받침이 되어야 하는데, 독자 여러분들이 나노 인플루언서 단계를 달성하려면 어떤 콘셉트를 정하고 인스타그램 활동을 계속 해야 한다는 것을 말합니다.

이 활동이 시간이 들어가는 것, 돈이 들어가는 것, 둘 다 투입되는 것으로 나눌 수 있습니다. 저자의 경우에는 시간과 돈이 다 들어가는 최악의 콘셉트라고 볼 수 있습니다. 캠핑용품리뷰는 당연히 집보다는 야외, 캠핑장에서 촬영해야 하는 경우가 많습니다. 또한 협찬이 들어오기 전까지는 내돈내산으로 용품을 마련한 경우가 대부분이겠죠. 물론 리뷰를 하기 위해 지인으로부터 빌리거나, 작은 캠핑용품은 집에서 촬영해도 되지만 대부분은 현장감이 중요합니다.

독자 여러분이 만약 비건 음식점을 콘셉트로 인스타그램을 시작한다면, 다음과 같은 것을 고려해야 합니다.

- 시간 투입 - 비건 음식점을 찾기 위한 검색 시간 및 음식점을 다녀오는 데 사용하는 시간, 콘텐츠(사진, 글, 영상) 제작 투입 시간
- 비용투입 - 교통비, 음식비, 콘텐츠 제작 인건비

따라서 남들 안 하는 것, 뾰족한 걸 찾으면 분명 경쟁력은 있겠지만, 평소 내가 하지 않은 일, 소비하지 않는 분야라면 얼마 가지 못해 포기하게 됩니다. 제일 중요한 것은 꾸준히 할 수 있는 것인지를 파악하는 것입니다.

- 내가 늘 시간을 쓰고, 돈을 소비하는 것 중에서 반복적으로 하는 것
- 대중적이나 사람들이 관심을 가질 수 있는 나만의 노하우가 있는 것
- 광고주가 많을 것! 가장 중요하다.

만약 독자 여러분이 커피를 너무 좋아해서 매일 커피를 마시고, 주말에도 멋진 신상 베이커리 커피 전문점을 다닌다고 가정해 보겠습니다.

어차피 쓰는 돈이니 인스타그램 계정을 하나 만들기에 아주 좋은 조건입니다. 그런데 이 계정을 성장시켜서 마이크로 인플루언서가 된다면 그다음에 돈을 버는 구조로 만들고자 할 때를 생각해 보겠습니다. 어떠세요?

1. 제품/서비스 협찬 ← 커피, 빵 종류 협찬
2. 제품/서비스 협찬 + 콘텐츠제작비(원고료) ← 커피, 빵 종류 협찬
3. 플랫폼 어필리에이트 ← 커피나 커피용품 쿠팡파트너스??
4. 공동구매, 위탁판매 ← 커피 위탁판매??
5. 자체 제품 판매 ← 자체 커피 브랜드??

2일 차
프로필 관리하기

프로필 대충 적으면 팔로워도 없습니다

파파스캠핑 @papas__camping 인스타그램

저자의 계정에서 프로필 영역(주황색 테두리 안)을 살펴보면 이 계정의 운영 목적과 관심 분야가 무엇인지 상세하게 기록되어 있습니다. 여러분 계정에 방문한 사람, 정확히 말하자면 팔로우를 해도 될지 말지를 결정하기 위해 뒷조사를 하기 위한 사람들을 위한 [계정 소개 페이지]라고, 생각해도 됩니다.

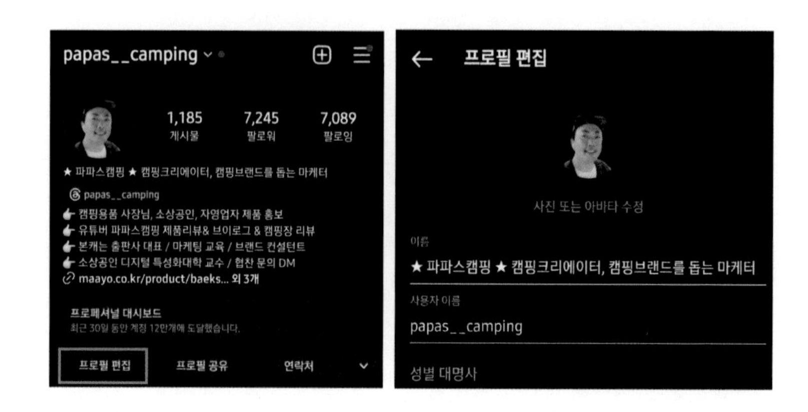

프로필 영역 하단의 [프로필 편집] 버튼을 누르면 오른쪽 화면과 같이 프로필 편집 화면이 나타납니다. 채워 넣을 수 있는 글자 수에 맞게 최대한 자세하게 계정의 운영 목적 등을 적어두어야 합니다

- 사용자 이름(계정아이디) - papas__camping
  : 영문자, 숫자, 일부 특수문자로만 작성할 수 있습니다. id에 해당하지만 변경할 수 있습니다. 한 번 변경하면 14일간 바꿀 수 없습니다.
  사용자 이름은 다른 인스타그램 사용자가 여러분을 태깅할 때 주로 사 용하게 됩니다. 따라서 입력하기에 편한 것이 좋습니다.

- 이름 - ★파파스캠핑★ 캠핑크리에이터, 캠핑브랜드를 돕는 마케터
  : 프로필 사진 바로 아래에 한 줄로 표시되는 영역입니다. 가장 중요한 곳으로 여기에는 계정의 운영 목적을 작성해야 합니다. 인스타그램 검색에서도 노출이 되므로 한글로 키워드를 나열한다는 느낌으로 작성하면 됩니다. 하지만 부산 맛집 등 대 카테고리에 해당하는 단어는 지양하는 것이 바람직합니다.

- 소개 - 캠핑용품 브랜드, 소상공인, 자영업자 제품 마케팅
: 상당히 많은 내용을 담을 수 있는 공간으로 이모티콘 등을 사용하여 눈에 잘 들어오게 한 문장씩 작성할 수 있습니다. 과도한 이모티콘은 장난스럽게 보이니 문장 앞에 위치하게 하세요. 의외로 많은 분이 여기에 해시태그를 사용하는데, 해시태그는 필요 없습니다.

프로필 영역에서 중요도 순으로 따지만, 프로필사진 - 이름 - 소개 순서입니다. 프로필 사진은 공급자 입장일 경우에는 브랜드 로고나 업장의 전경 사진(간판 포함)이 좋고 인플루언서 계정이면 본인의 실물 사진이 있을 때 좀 더 신뢰할 수 있는 느낌을 줍니다.

간혹 본인 사진을 안 쓰면 안 되느냐, 아바타 이미지나, AI 이미지를 사용하면 안 되느냐 물어보는 분들이 있습니다. 물론 본인의 계정이니 마음대로 해도 상관없겠지만, 저자가 만약 인플루언서들에게 협찬을 해주는 공급자 입장이라면 일단 사진 없는 계정이나 AI 이미지가 프로필에 있으면 일단 거르고 봅니다.

저자는 간혹 인스타그램에서 팔로워나 팔로우 정리를 하는데, 이때 일일이 계정을 전부 들어가 볼 수가 없어서 프로필 사진에 캠핑 느낌이 나지 않는다면 1순위 언팔 대상으로 삼습니다.

프로필 사진은 여러분 계정을 방문한 사람에게 첫인상과도 같은 곳입니다. 신경 써서 좋은 사진으로 꾸며두세요. 음식점 계정을 운영하는 사장님이라면 가장 맛있는 대표 음식 사진이 있어도 좋습니다.

사용자 이름은 자주 변경하면 안 되지만, 이름/소개는 계속 더 좋은 아이디어가 떠오른다면 수정해서 완벽하다 싶을 때까지 고쳐주는 것이 바람직합니다. 저자도 보통 월 1회 정도는 무언가를 고치는 중입니다.

프로필 영역이 중요한 이유

독자 여러분들은 인스타그램을 하면서 누군가를 팔로우하거나 반대로 누군가가 여러분을 팔로워 했을 때 해당 계정에 방문해 본 경험이 있을 겁니다. 그 계정이 어떤 사람인지 궁금하기도 할 것이고, 들러본 후에 나도 맞팔을 해줄지 생각하기도 합니다.

SNS는 사진이나 동영상만 무작정 올린다고 사람들이 '좋아요'를 눌러주진 않습니다. 여러분들이 아주 유명한 연예인이나 셀럽이라면 계정을 만든 첫날에 팔로워가 100K 정도는 가뿐하게 넘게 되겠지만, "유명해지면 똥을 싸도 박수를 받는다"라는 말은 절대 쉬운 일이 아닙니다.

인스타그램을 철저히 마케팅 관점에서 들여다보면, 사람들 사이의 관계 형성이 일차적인 목표이고 그 목표를 이루는 미끼가 바로 '누구나 부러워할' 소비재입니다. 좋은 차, 맛있는 음식, 멋진 옷, 환상적인 뷰를 자랑하는 호텔 등 현생의 내가 꿈꾸는 것들이 남의 계정을 통해서 '관음'하게 되는 곳이 인스타그램의 본질이라고 할 수 있습니다.

누군가는 사회적 병폐로 인식할 수 있지만, 사업을 하는 사람으로서는 인스타그램과 같은 SNS가 없다면 소상공인들은 대기업에 밀려 전혀 마케팅할 방법이 없는 것이나 마찬가지입니다.

독자 여러분 한 번 상상만 해보세요. 어느 날 갑자기 SNS가 없어진다면 우리는 오마카세를 굳이 먹으러 가고 굳이 사진을 찍고 있을까요?

사람들은 인스타그램을 통해 타인의 부러움을 자아내고 그들이 진심이든 아니든 남기는 각종 피드백(좋아요, 댓글, 공유, 저장)을 통해 다시 인스타그램을 위해 소비를 지속하는 행위를 하게 됩니다.

저자가 앞서 출판한 "욕망의 인스타그램"에서 '관음'과 '노출' 그리고 '욕망' 3가지 단어로 인스타그램을 정의한 것도 결국은 사람들은 관계를 맺기 위해 인스타그램을 하고 있다고 봐야 합니다.

그 관계의 첫 단계가 바로 타인의 계정을 방문해서 프로필 영역을 보고, 그 사람이 이때까지 올려둔 온갖 사진과 영상을 훑어보는 것입니다. 절대 자세하게 보지 않습니다. 말 그대로 훑어보고 판단을 내려버립니다.

사람들이 팔로우하는 계정의 프로필은 다릅니다.

첫 번째, 게시물 피드를 빠른 속도로 스크롤 해서 내리면서 주로 어떤 사진을 많이 올리는지 2~3초 만에 파악합니다.

두 번째, 공통된 주제가 있거나 무드가 비슷한 사진으로 꾸며져 있으면 몇 개 정도 게시물을 직접 확인해 봅니다. 이때 피드가 일관성 없이 엉망진창이거나 관심 없는 주제의 사진 비율이 더 높다면 주저 없이 나가버립니다.

세 번째, 피드 검열(?)이 끝나면 프로필에 적어둔 소개글을 읽어보고 프로필 사진도 봅니다. 특히 공급자(사장님, 브랜드) 계정 입장에서 인플루언서들의 계정을 살펴보는 중이라면, 프로필 영역에 [협찬은 DM 주세요], [협업 환영] 등의 문구가 있는지에 따라 필요한 인플루언서인지 아닌지 판단하고 연락을 취하기 위해 정리를 해둡니다.

따라서 **인플루언서 계정이라면 반드시 프로필 영역에 자신이 협찬받는지 확실하게 표시**를 해두어야 합니다.

참고할 계정들은 해시태그 검색으로 찾아보세요.

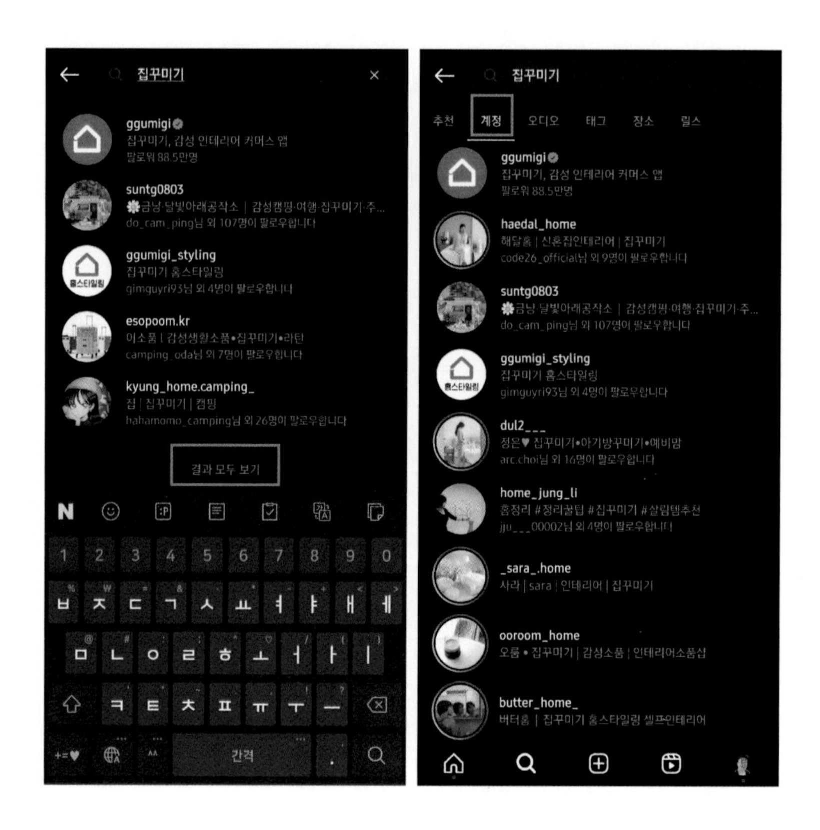

집 꾸미기, 홈데코 등의 키워드로 인스타그램에서 검색을 해봅니다. [결과 모두 보기]를 클릭하고, 상단 탭에서 [계정]을 눌러보면, 프로필 영역에 집 꾸미기 단어를 포함한 계정들이 다수 나옵니다. 이 계정들을 들어가서 프로필 영역을 확인해 보면, 인플루언서가 운영하는 계정도 있고, 업체에서 운영하는 계정도 나옵니다.

llseulll
1,084 게시물
4,472 팔로워
3,393 팔로잉
슬기로운홈앤라이프 | vintagehome 홈카페 집꾸미기
llseulll
디지털 크리에이터
Home and Life 집과 삶 속 따스함을 '슬기'롭게 기록해요
빈티지수집•홈카페•집꾸미기가 취미인 후천적 집순이... 더 보기
link.inpock.co.kr/llseulll
tbr.tumbler님, rough_out_woodworking님 외 2명이 팔로우합니다
팔로우
메시지
Lovesome;
슬마켓 후기
오늘의집
잘산템 구매링크
baengtol_home
356 게시물
1.3만 팔로워
688 팔로잉
인테리어 | 홈스타일링 | 집꾸미기 | Interior | Lifestyle
baengtol_home
디지털 크리에이터
뱅돌홈 취향과 컬러가 가득 담긴 집
Home styling | Home-cooked meals
Wine | Coffee | Travel | Lifestyle
#뱅돌템 #뱅돌레시피 #뱅돌꿀팁 #뱅돌공간소개
ozip.me/1kzYiZY
nordictools_korea님, 42b_camp님 외 6명이 팔로우합니다
팔로우
메시지
Paris '24
Firenze '24
Ads
Products
Outfits
ggomi_pic
1,598 게시물
2.1만 팔로워
856 팔로잉
또또 | 집꾸미기•홈스타일링•홈데코•DIY
집 꾸미기
사계절을 담은 테라스 복층집
두 아이와 함께하는 취향가득 홈라이프,
또또네 공간별 제품정보, 블로그, 오늘의집
link.inpock.co.kr/ggomipic
na___kyung님이 팔로우합니다
팔로우
메시지
구독
퓨리팟
오하우스
룸메이트
비스테까
dini_terrace
163 게시물
2,912 팔로워
431 팔로잉
테라스하우스 | 셀프인테리어 | 집꾸미기 | 홈스타일링
작은 노력으로 '머물고 싶은 집'을 만들어 봐요.
행복한 육아, 즐거운 살림 같이 해 볼까요?
↘ 자주 물어 보시는 제품 ↙
link.inpock.co.kr/diniterrace
prism_store_님과 mjys28님이 팔로우합니다
팔로우
메시지
연락처
play room
terrace
Kitchen
living room

공급자로서는 여러분들의 제품을 홍보해 줄 만한 인플루언서를 찾는 과정입니다. 프로필 영역에서 확인할 부분을 점검해 보겠습니다.

1. 게시물의 개수로 파악할 수 있는 것
- 팔로워 수에 비해서 게시물의 개수가 많다면, 영향력이 없는 계정으로 판단할 수 있습니다. 협찬하면 콘텐츠를 만들어서 올려도 봐줄 사람이 적다고 보면 됩니다.
- 팔로워들과 적극적인 소통 없이 일방적인 콘텐츠 제작에만 몰두하고 있습니다. 자기만족 성향이 강하고, SNS를 이해하지 못한다고 봐야 합니다.
- 적정한 게시물 : 팔로워 비율은 1:5~1:8 정도입니다.

2. 팔로워 수와 팔로잉 수로 파악할 수 있는 것
- 마이크로 인플루언서 급의 팔로워인데, 그보다 팔로잉 숫자가 많다면, 아무 계정이나 막 팔로우하고 있을 가능성이 있습니다. 어떤 계정을 팔로우하고 있는지 확인해 봐야 할 필요가 있습니다.
- 어떤 의미로는 계정의 성장을 위해서 열심히 노력하고 있는 것으로 보일 수 있으나 계정의 콘셉트와 상관없는 팔로우를 하고 있어서 알고리즘이 엉망인 상태인 계정인 경우가 많습니다.
- 공급자 입장에서는 협찬을 해줘도 도움이 안 되는 계정입니다.
- 적정한 팔로워 : 팔로잉 비율은 1:0.8 ~ 1 : 0.5 사이입니다.

3. 게시물의 톤앤매너를 유지하는가?
- 콘셉트를 일정하게 유지하는 것만큼 중요한 것이 피드에 노출되는 섬네일의 톤앤매너 유지입니다. 상당히 어렵고 노력이 많이 들어가는 점은 인스타그램을 신경 써서 운영하고 있다는 방증입니다.
- 다만 계정의 특성상 섬네일로만 톤앤매너가 유지되기 어려운 부분이 있으니, 여러분이 보고 판단하기에 일관성이 있는지만 보면 됩니다.

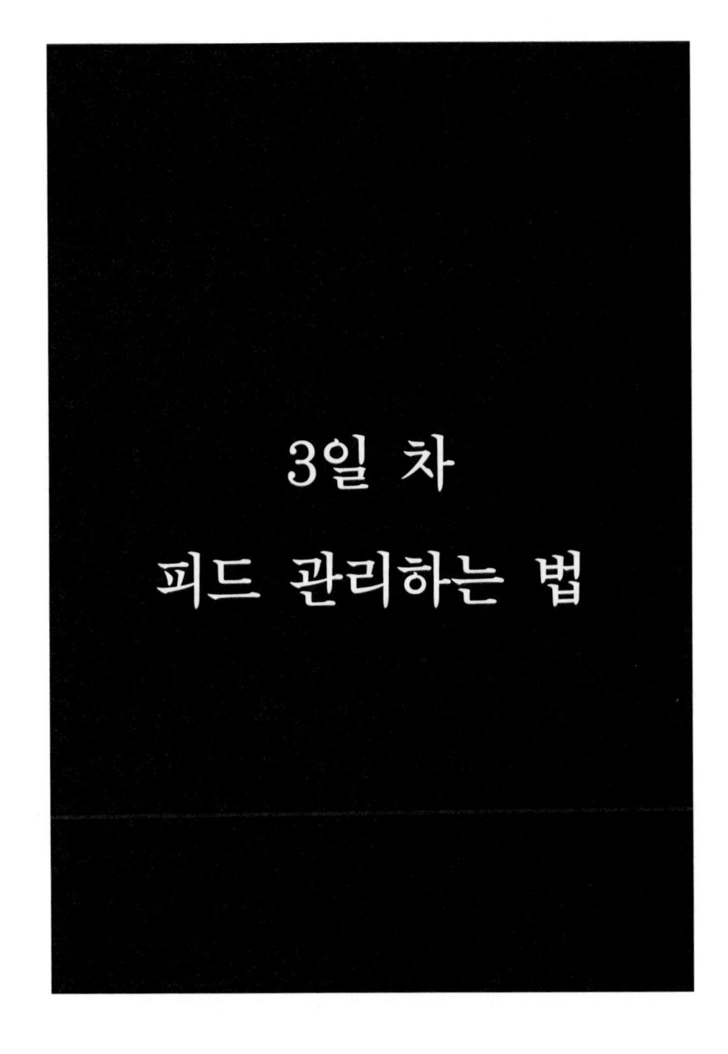
3일 차
피드 관리하는 법

피드는 최소한 톤앤매너를 맞춰야 합니다

톤앤매너를 한마디로 정리하자면, '콘셉트에 충실한가?'에 대한 내용입니다. 이를 충실하게 지키며 인스타그램을 운영하는 사례로 이니스프리와 다이소가 자주 언급되고 있습니다. 인스타그램 관련 책에서도 자주 나오는 예입니다. 저자도 동감하지만, 인스타그램 마케팅 담당자가 관리하는 계정이라서 그런 것이 아닌가 하는 반문을 할 것을 알기 때문에 대기업 이상으로 관리를 잘한다고 생각하는 개인, 소상공인 인스타그램 계정 위주로 보여드리겠습니다.

떠먹는 스콘 전문점 : 스스스 인스타그램 계정

화려한 사진으로 가득 차 있는 떠먹는 스콘 전문점 스스스의 인스타그램 계정입니다. 키치한 느낌을 살려서 채도가 높은 사진을 주로 올립니다. 사진의 구도가 다양하여 산만한 느낌이 들지만, 그것 또한 발랄한 분위를 연출하는 데 도움이 되고 있습니다.

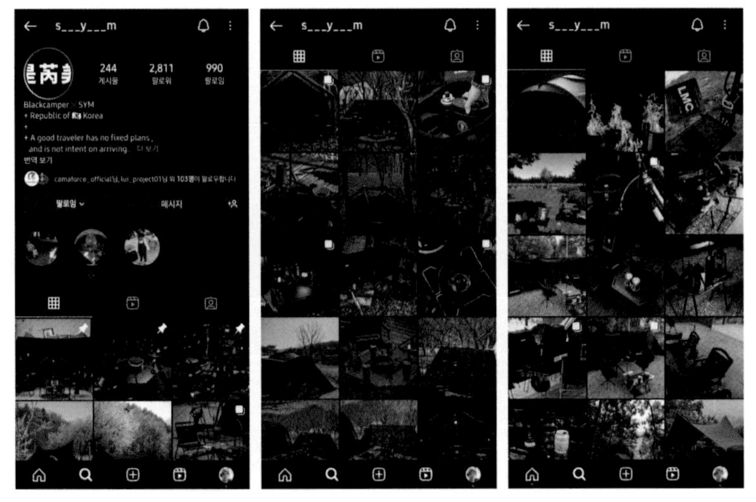

블랙 콘셉트 캠퍼 : s___y___m 인스타그램 계정

스스스의 사례와는 완전 반대의 컬러무드입니다. 사용하는 용품들이나 텐트도 전부 블랙 콘셉트로 통일하고, 사진의 분위기도 저채도와 저명도로 통일했습니다. 피드를 들어와서 언뜻 보면 다 비슷해 보이지만 하나하나 살펴보면 사진의 구도나 용품들의 배치 레이아웃에 대한 고려를 많이 한 사진인 것을 알 수 있습니다.

기업 브랜드 계정은 내부 기획을 통해 정제된 콘텐츠를 올리기 때문에 비교적 쉽게 톤앤매너를 유지할 수 있지만, 개인이 운영하는 계정들은 운영 주체가 자신이기 때문에 찍어둔 사진을 마음껏 올리고 싶은 유혹을 많이 받습니다.

대부분 인스타그램 계정이 톤앤매너를 유지하지 못하는 이유가 너무 떠벌리고 싶은 이야기, 자랑거리가 많다는 데 있습니다. 다량의 콘텐츠를 올리는 것보다는, 하루에 하나만 올리더라도 심혈을 기울인 단 한 장의 사진이 더 임팩트가 있음을 기억해야 합니다.

피드의 레이아웃을 특별하게 만들어 봅시다

이번 챕터를 시작하면서 저자는 인스타그램을 마치 잘 꾸민 다이어리처럼 만들라고 조언했습니다. 다꾸를 좋아하는 분 중에 그림 실력(혹은 낙서 실력)이 출중해서 아주 아기자기한 손 그림으로 꾸미기도 하는데, 따라 해보고 싶어도 그림 실력이 형편없다면 다른 방법으로 내 다이어리를 꾸며도 됩니다. 스티커죠! 캐릭터, 라인 테이프 등 이미 프로 디자이너들이 만들어 놓은 스티커를 사서 원하는 곳에 붙이면 됩니다.

저자는 디자인을 전공했지만, 손 그림은 잘 그리지 못합니다. 미대 입시를 보고 디자인을 전공한 것이 아니라, 인문계에서 공대로 진학하고, 공대에서 다시 디자인전공으로 전과했기 때문입니다. 물론 전과하고 손으로 그림을 그리는 수업도 있었지만, 미대 입시를 위해 몇 년간 학원에서 가고 닦은 스킬을 가진 동기들과는 완전 실력 차이가 벌어질 수밖에 없었습니다.

하지만, 미대로 전과를 한 것이 아니라, 디자인과로 옮겼기 때문에 전공 대부분은 컴퓨터를 이용한 디자인을 하게 되었습니다. 지금 와서도 생각해 보면 참 다행이다 싶은 것은, 손 그림을 못 그려도 컴퓨터그래픽을 배우고 다루는 것은 아무 지장이 없었습니다. 오히려 컴퓨터를 만지는 것을 너무 좋아하다 보니, 동기들보다 훨씬 더 잘하게 되었습니다. 물론 공대에서 캐드 프로그램을 배운 것도 엄청난 도움이 되었습니다.

잠시 저자의 이야기를 들려드렸습니다만, 독자에게 하고 싶은 말이 있습니다. 인스타그램을 멋지게 꾸미는 것은 결코 디자인 실력도, 사진을 잘 찍는 것도 아닙니다. 제일 중요한 것은 스스로 정한 콘셉트를 뚝심 있게 밀어붙이는 것입니다. 디자인 감각이 없어도 인스타그램을 멋지게 만드는 방법을 알려드리겠습니다.

인스타그램 심리학 저자 : 문영호 인스타그램 계정

브랜딩과 마케팅 분야에서 유명한 강사인 문영호 님의 인스타그램 계정입니다. 피드의 오른쪽은 읽은 책을 소개하는 라인으로 사용하고, 가운뎃줄은 업무 관련된 사항들, 왼쪽은 일상의 기록을 담고 있습니다. 하나의 인스타그램 계정에서 3가지 주제를 다루고 있는데, 콘텐츠를 구분하려는 방법으로 세로로 줄 맞추기 레이아웃을 사용합니다. 사진의 톤앤매너를 맞추지 않고도 정갈한 느낌을 만들어 내는 방식입니다.

물론 이런 레이아웃 구성도 꾸준하게 반복하는 콘텐츠가 있어야 가능한 방법입니다. 이 계정에서는 독서한 책을 올리는 방법을 사용하는데, 독서를 만약 하지 못했다면 레이아웃을 맞추기가 어려울 겁니다. 얼마나 강박적으로 레이아웃을 맞추기 위해 노력하는지 옆에서 보지 않아도 알 수 있을 정도입니다.

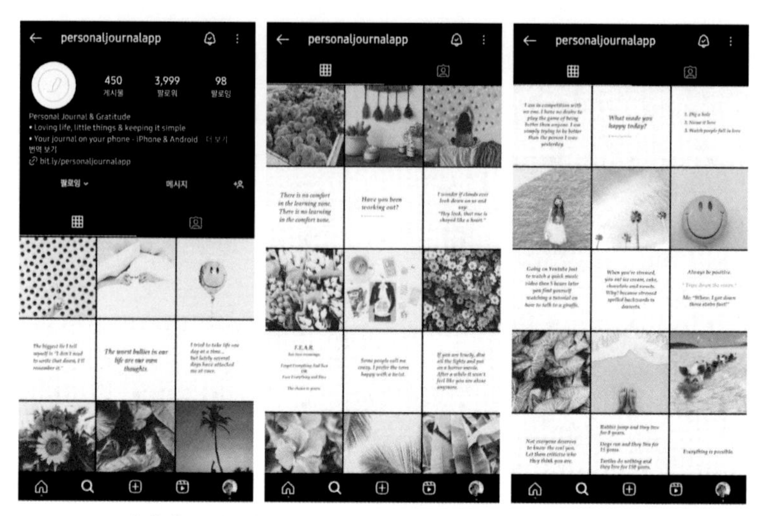

개인기록 목적 : personaljounalapp 인스타그램 계정

가로줄 맞추기 방식으로 계정을 운영하는 사례입니다. 인스타그램에서는 최근에 프로필 고정이라는 기능이 추가되어 맨 위의 한 줄만 가로로 원하는 게시물을 끌어 올려 배치하는 기능이 있긴 하지만, 위 계정처럼 레이아웃을 맞추는 기능은 없습니다. 오로지 계정을 운영하는 사람이 규칙을 정해서 올려야 합니다.

가로 방식이나 세로 방식으로 레이아웃을 맞추기가 어려운 것은 예전 게시물부터 최근 게시물로 순차적으로 누적되는 속성 때문인데, 이런 레이아웃을 유지하기 위해서는 매번 3개씩 콘텐츠를 한 번에 올려야 합니다. 하나씩 올리다 보면 레이아웃 유지가 되지 않고 엉망진창 레이아웃으로 보일 수 있습니다.

그리고 예전에 올린 게시물을 보관처리 혹은 삭제라도 한다면 전체 레이아웃이 망가지는 불상사가 생깁니다.

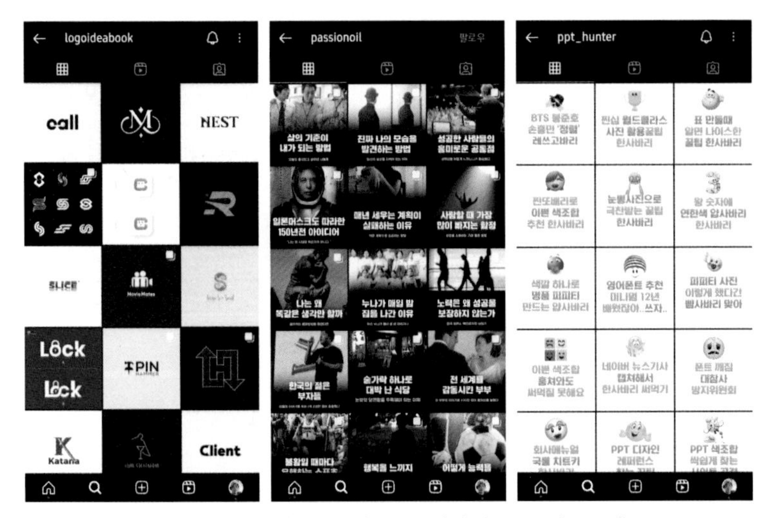

패턴을 만들어서 규칙적으로 레이아웃을 만든 경우

위 캡처 이미지처럼 바둑판 패턴, 사진에 글자를 넣은 위치가 같게 패턴을 맞춰둔 사례, 사진 없이 콘텐츠의 제목만 글자로 넣어둔 이미지 등 인스타그램에서는 이렇게 레이아웃을 독특하게 꾸며둔 계정들을 심심찮게 볼 수 있습니다. 어떤 주제를 다루고 있던, 톤앤매너와 레이아웃이 일정한 피드를 만나면 첫인상에서 점수를 먹고 들어갑니다.

- 주기적으로 콘텐츠를 올리고 있다.
- 콘텐츠를 정성스럽게 만든다.
- 특정 주제에 전문적이다.

결국 팔로잉해 두면 도움이 될 것 같다고 생각하게 됩니다. 제아무리 좋은 내용을 올려두는 계정이라도 피드에서 정리된 느낌을 주지 못한다면 다른 사람들이 팔로잉할 가능성이 줄어듭니다. 피드 관리에 진심이어야 하는 이유입니다.

피드 관리 - 인플루언서 입장에서는 이것을 꼭 지키세요

1. 프로필 영역을 관리하고, 일관된 콘셉트로 피드를 운영하는 것이 제일 중요합니다. 혹시 관심사가 너무 많다면 차라리 관심사별로 계정을 모두 나누어서 여러 계정을 운영하는 것이 바람직합니다.

2. 사진을 잘 찍을 필요 없습니다. 정적인 사진찍기가 어려우면 편집 없는 짧은 릴스와 긴 본문을 사용해서 자주 콘텐츠를 올리는 것이 훨씬 좋습니다.

3. 내가 올린 게시물들(게시물, 스토리, 릴스)는 누군가에게 첫인상으로 남게 됩니다. 따라서 비교, 비방, 잘난 척 등의 뉘앙스를 풍기는 콘텐츠는 될 수 있으면 올리지 않도록 합니다. 여러분이 비교의 대상으로 까버린 제품의 브랜드에서 여러분이 올린 글을 보고 있습니다. 절대로 협찬이 들어올 리가 없겠죠?

4. 마찬가지로 객관성을 들먹이며 절대로 누군가를, 어떤 제품을, 브랜드를 비방하는 글을 쓰지 마세요. 해당 대상이 아니라도 '우리 제품도 저렇게 까일 수 있겠구나' 생각하게 되는 글은 금물입니다.

5. 게시물을 자주 올리는 일보다는 게시물에 반응하는 사람들과 열심히 소통하는 모습을 보여주려고 노력해야 합니다.

6. 브랜드 입장에서 인플루언서를 바라볼 때는 여러분을 마치 홈쇼핑의 쇼핑 호스트로 봅니다. 우리 제품을 얼마나 잘 홍보해 줄지를 콘텐츠로서 보게 되고, 여러분이 올린 콘텐츠를 보는 사람들(팔로워)이 결국 고객입니다. 아무리 예쁘게 콘텐츠를 올려도 결국 봐주는 사람(구매자)이 없으면 브랜드에서는 관심을 가지지 않습니다.

피드 관리 - 공급자는 이것을 꼭 지키세요

1. 인스타그램을 멋있게 운영하려고 하기보다, 제품/서비스 정보를 정확하게 전달하는 데 중점을 두고 운영하세요. 하나의 제품으로 여러 개의 게시물을 올려도 되지만 중복 없이 매번 새로운 내용으로 콘텐츠를 만들어야 합니다.
2. 콘텐츠를 어렵게 생각하지 마세요. 사진 몇 장에 해당 설명을 자세히 쓰면 됩니다. 마치 상세페이지를 여러 개로 쪼개서 순차적으로 올린다고 생각하면 됩니다.
3. 최대한 자세하게 상세하게 본문글을 쓰고, 고객이 어려워할 단어들은 전부 풀어서 설명하세요. 이 정도로 자세하게 써야 하나 싶을 정도로 쓰세요.
4. 공급자가 자세하게 콘텐츠를 올리면 그 내용을 인플루언서들이 보고 참고해서 다시 재가공합니다. 팔로워(고객)들이 쉽게 알 수 있게 본인들이 이해하는 수준에서 다시 설명합니다. 마치 홈쇼핑의 쇼핑호스트처럼요. 가장 중요한 사항입니다.
5. 공급자가 발 벗고 나서서 멋진 콘텐츠를 만들려고 하지 말고, 인플루언서들이 여러분들의 제품을 잘 이해할 수 있는 설명서를 만든다고 생각하고 콘텐츠를 만들면 됩니다.
6. 직접 콘텐츠를 만들어야 하는 부분은 여기까지입니다. 이후에 여러분이 할 일은 인플루언서를 찾고 협업하는 것입니다.
7. 잘 못 파는 사람이 잘 팔기 위해 노력하는 것보다, 잘 파는 사람을 찾는 방법을 배우는 것이 더 빠르고 쉽습니다.
8. 이 책에서는 그런 부분을 모두 다루고 있습니다. 관계 마케팅이라고도 부르지만, 저자는 관계의 마케팅이라고 이야기하고 있습니다.

잘하는 사람을 벤치마킹하세요

(인플루언서) 부산 식당 정보의 아카이브 @ekekek

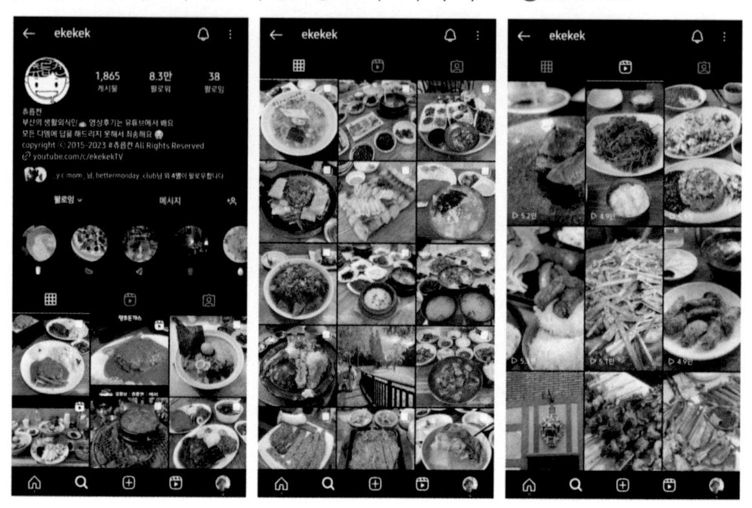

생활외식인 츄릅켠의 개인 계정입니다. 가성비 좋은 부산 식당들을 소개하는 인스타그램으로 인스타그램보다는 유튜브 영상이 아주 재미있는 인플루언서이자 유튜버입니다. 소위 인스타그램빨로 먹고 사는 음식점은 없고, 로컬 맛집만 다루고 있어서 저자는 블로그보다는 츄릅켠 인스타그램 계정을 방문해 보고 식당을 고르기도 할 만큼 대부분 부산 로컬 맛집을 다루고 있습니다.

저자가 인스타그램을 보고 운영하는 방식을 참고하는 몇 안 되는 계정 중의 하나인데, 해시태그를 기가 막힐 정도로 잘 운용하고 있습니다. 예를 들어, #수영구츄릅 #민락동츄릅과 같이 '지역명+츄릅'을 사용하여 특정 동네의 모든 정보를 하나의 해시태그에서 찾아볼 수 있게 합니다. 그리고 #츄릅켠라멘 #츄릅켠일식처럼 '츄릅켠+음식명' 조합으로 음식 이름으로 해시태그를 작성하는 콘텐츠 그룹화 전략을 사용합니다. 만일 저자가 부산 광안리를 방문할 계획이라면 인스타그램에서 #광안리츄릅을 검색하면 되고, 돈까스가 먹고 싶다면 #츄릅켠돈까스를 검색하면 됩니다.

다만 인스타그램 내에서 해시태그로만 콘텐츠 그룹화를 하므로 인스타그램에서 두 개의 그룹을 동시에 검색해서 교집합을 찾을 수는 없지만, 검색 결과에 나오는 사진들을 순식간에 훑어볼 수 있어서 저자는 지역명+츄릅 방식으로 돈까스 식당을 쉽게 찾아낼 수 있었습니다.

사진을 매우 잘 찍는 편은 아니지만, 게시물의 첫 번째 사진에서 어떤 음식인지 바로 인식할 수 있게 사진을 찍어서 올리는 편입니다. 카페 정보를 잘 정리한 인스타그램 계정과 비교하면 무드의 일관성은 미흡하다고 할 수 있지만, 식당을 손쉽게 찾아볼 수 있도록 하는 콘텐츠 아카이브로서는 정말 훌륭하게 계정을 운영하고 있다고 말할 수 있습니다.

유튜브 츄릅켠 채널도 맛깔스러운 멘트와 솔직한 맛 평가로 재미있는 영상이 많이 올라오니 한 번 유튜브를 통해 영상을 보는 것도 추천해 드립니다.

(인플루언서) 부산정보로 가득한 @channelbusan

인스타그램을 하고 있다면 이런 스타일의 게시물을 올리는 계정을 자주 보게 됩니다. 인스타그램 내의 유료 광고로 보기도 하고, 검색의 결과로 보는 경우도 많습니다. 저자는 처음 방문하는 지역이라면 네이버 검색으로 맛집, 가볼 만한 곳, 카페 등을 일일이 검색하지 않고, 더 빠른 검색을 하기 위해 인스타그램을 사용합니다. 인스타그램 검색에서 지역명만 입력하면 #부산놀자 #부산언니 #채널부산 #부산뭐하지 #부산오빠 식으로 지역 정보를 큐레이션 하여 인스타그램과 페이스북에 콘텐츠를 올리고 광고 대행비를 받는 사업체들이 아주 많습니다.

내가 보기 싫은데, 내 눈에 나타나면 귀찮은 광고지만 (마치 쿠팡 광고 같은) 광고지만 빠른 속도로 훑어보고 자세히 알아보고 싶다면 다시 네이버에서 찾아보는 검증의 과정을 거친다면 충분히 정보의 가치를 가집니다. 팔로우를 해두면 새 콘텐츠를 주기적으로 볼 수 있으므로, 저자는 몰랐던 신상 카페나 맛집 정보, 부산의 행사 등에 관한 정보를 얻는 용도로 유용하게 사용합니다. 물론 내가 그 지역을 더 이상 방문하지 않을 때도 콘텐츠는 계속 올라오니 귀찮다면 팔로잉을 취소하기만 하면 됩니다.

이렇듯 큐레이션 정보 제공 사업체에서 운영하는 인스타그램은 편리한 점도 있지만 불편한 점도 가지고 있습니다. 본질은 광고비로 먹고사는 사업체다 보니 과대광고일 때도 있고, (요즘은 거의 없지만) 다른 계정의 사진을 불법으로 올려서 사용하여 저작권 분쟁의 시비가 일기도 합니다. 그리고 생각보다 귀찮은 DM이나 댓글을 통한 사진을 퍼가도 되는지 물어보는 글들은 어떨 땐 짜증이 치밀어 오를 때도 있습니다. 내가 열심히 찍은 사진을 아무런 대가도 없이 그냥 달라고 하는 게 바람직하지는 않은 건 분명합니다.

대한민국 대부분 지역, 관광지에는 이런 업체들이 우후죽순 생겨나고 사라지고 있으며, 보통 20~50만 사이의 팔로워를 가진 대형 인스타그램 채널로 성장하여 지역의 소상공인들과 공생하며 광고 수익을 내고 있습니다. 여러분이 생각하는 것보다 훨씬 많은 돈을 벌고 있으니, 한 땀 한 땀 긁어모아서 이런 계정을 하나 운영해 보는 목표를 세우고 인스타그램을 운영해 보는 것도 나쁘지 않습니다.

처음에는 단순, 매장 방문과 무료 음식 제공이겠지만, 팔로워가 점점 늘어나면 홍보해달라고 돈을 싸 들고 부탁할 테니까요. 평균적으로 특정 매장 하나의 단독 게시물을 광고 대행하면 계정의 규모에 따라 다르지만 20만 명 정도의 팔로워를 가진 계정이면 건당 30만 원 선, 촬영과 릴스 영상 등이 부가적으로 붙으면 콘텐츠 제작비를 더 받습니다. 그리고 반복적으로 노출하기 위해, top5 등의 콘텐츠에 섞기도 합니다.

(공급자) 키녹스 브랜드 공식 계정 @kinox_official

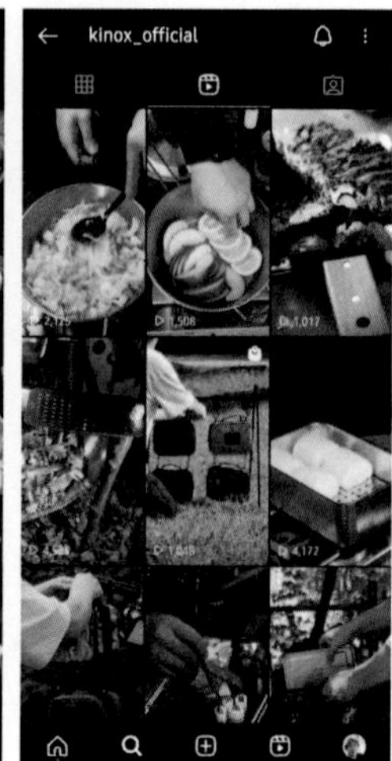

요즘은 규모에 상관없이 제조사, 유통사 등의 브랜드 인스타그램도 활발하게 활동하고 있습니다. 예전에는 홈페이지에 신경을 더 썼다면, 지금은 홈페이지는 기본이고 유튜브나 인스타그램까지 다방면으로 홍보할 수 있는 매체는 거의 다 사용하고 있습니다.

블로그나 유튜브보다는 제품을 쉽고 빠르게 보여줄 수 있는 인스타그램을 선호하고 회사가 작은 경우에는 대표자가 직접 인스타그램 계정을 관리하는 예도 많습니다. 저자의 취미가 캠핑이기 때문에 캠핑 계정으로 운영 중인 @papas__camping 계정에는 같은 취미를 가진 캠퍼들 계정, 캠핑브랜드 계정을 위주로 팔로우하고 있습니다. 대략 캠핑브랜드는 100여 개 팔로잉하고 있는데, 인스타그램으로 브랜드의 가치를 키우는 것보다는 당장 눈앞의 매출에 급급해서 인스타그램을 홍보의 수단, 찌라시로 인식하는 캠핑브랜드 계정이 많습니다.

얄팍한 상술로 이벤트 위주로 운영하는 계정들이 대표적입니다. 체리피커만 양산할 뿐 사실 계정의 성장과 브랜드의 가치를 높이는 것과는 무관한 일을 계속합니다.

홍보를 위한 사진이나 이벤트성 게시물만 가득한 인스타그램 브랜드 계정들을 흔하게 보게 됩니다. 사람들은 SNS를 통해 관계를 맺을 때, 그 주체가 사람이라고 판단되는 경우와 자신에게 도움이 되는 정보를 주기적으로 발행하는 마치 뉴스레터 서비스 같은 형태의 계정을 팔로우하게 됩니다. 앞서 말한 부산채널 계정 같은 경우를 말합니다. 그런데, 제품과 서비스를 팔기 위한 목적으로 가득한 계정들을 굳이 팔로우하려고 할까요?

브랜드 계정을 키워나가기 위해서는 팔로워 수에 집착해서는 안 됩니다. 브랜드 제품의 품질을 시각적으로 느낄 수 있는 잘 연출된 사진과 제품의 특장점과 그 제품을 사용했을 때 소비자가 얻는 이익과 혜택 등을 설명하는 정보를 주어야 합니다. 이는 상품 상세페이지를 간략하게 작성하는 것과 비슷하다고 생각할 수 있으나 제품의 매력을 보여주기에 더 집중되어 있습니다.

광고 콘텐츠만 가득한 계정과는 반대로 인스타그램의 가치와 속성을 잘 이해하고 운영하는 브랜드 계정들은 대표자들이 직접 자기 브랜드 제품을 사용하는 사용자들과 소통하고 예비 고객을 확보하는 커뮤니케이션의 수단을 활용합니다. 특히, 제품은 사진이 중요한데, 사진을 잘 찍는 사용자들, 리뷰어 계정에 무상으로 제품을 제공하거나 사진 촬영비를 지급하고 멋지게 연출된 제품 사진을 받기도 하는 등 공생관계를 형성하고 있습니다. 이는 다음에 이어지는 사례에서 자세히 언급하도록 하겠습니다.

앞에서 다룬 바 있지만, 저자가 캠핑 인스타그램의 목적을 두고 운영하고 있으므로 저자에게도 사진이나 동영상의 콘텐츠를 대신 만들어 주기를 요청하는 협찬 문의 DM과 메일을 하루에도 5~10건씩 받고 있습니다. 여러분들도 목적을 가지고 인스타그램을 운영하게 된다면 분명 공생관계를 맺어야 계정이 생길 수밖에 없습니다. 이미 유명해진 브랜드보다는 신생 브랜드, 지역 소상공인들과 관계를 잘 맺어 서로 도움이 되는 목표를 달성하기를 바랍니다.

글에서 소개해 드린 키녹스 브랜드는 저자와도 점차 깊은 관계를 맺어가게 되었습니다. 처음에는 브랜드와 소비자의 관계에서 출발하였지만, 이제는 신제품 출시와 동시에 제일 먼저 보내주실 정도로 좋은 관계로 발전했고 저자는 단순히 제품을 받고 사진만 찍어주는 관계가 아닌, 브랜딩과 마케팅에 대해 조언해 주고 있습니다. 또한 저자가 인스타그램으로 관계를 맺은 다른 유통 브랜드, 캠핑브랜드와의 협업 등도 추진하거나 브랜드끼리 서로 연결해 주는 등 브랜드가 성장할 수 있도록 다방면으로 좋은 관계를 이어 나가고 있습니다.

4일 차
스토리, 하이라이트 하지 마세요

스토리 굳이 안 해도 됩니다

인스타그램에서 스토리 기능은 릴스가 등장하기 이전엔 꽤 사용성이 좋은 기능이었습니다. 스티커를 이용한 꾸미기 기능이나 태깅, URL 삽입 등 게시물로 등록하기에는 애매할 때 많이 사용했습니다. 또한 URL 삽입 기능은 게시물 본문에 주소 링크를 할 수 없는 인스타그램의 단점을 상쇄하는 역할을 했습니다.

저자가 한 챕터로 스토리와 하이라이트 기능을 설명하고 있는 것은 여전히 스토리 기능이 중요하기 때문입니다. 하지만 최근 인스타그램의 추세는 스토리보다는 릴스가 알고리즘 노출에 훨씬 유리합니다.

독자 여러분이 인스타그램에 투자할 수 있는 시간이 없다면, 과감하게 4일 차 내용은 넘어가도 됩니다만, 무언가를 계속 배워야 한다는 스트레스가 없다면 읽어보고 본인의 계정에도 적용해 보기 바랍니다.

스토리는 릴스나 게시물보다 내 팔로워들에게 집중되어 전달되는 콘텐츠입니다. 즉, 인스타그램에서 소통에 집중할 때, 여러분들의 팔로워들과 커뮤니케이션용으로 사용할 때는 강력한 힘을 발휘합니다. 시각적으로 꾸며진 카톡과 같은 역할에 비유할 수 있습니다.

다만 스토리 기능을 사용할 때 주의할 점을 알아두세요!

1. 꾸미기 기능에 너무 심취하지 마세요. 사람들은 1~2초밖에 보지 않습니다. 차라리 그 시간을 릴스에 투자하세요.
2. 24시간에 스토리 1개만 올리세요. 너무 자주 올리면 팔로워들에게 피로감을 줍니다.

스토리 기능 현명하게 사용하기

스토리는 화면편집 기능이 있습니다. 우리가 스마트폰에 저장해 둔 사진과 인스타그램이 제공하는 갖가지 요소를 이용하여 자유롭게 화면을 편집하여 한 장의 페이지를 만들어 줍니다. 24시간이 지나면 사라져 버린다는 점, 피드와 구분해서 게시물을 올릴 수 있다는 점에서 피드를 깐깐하게 관리하는 입장에서는 매우 유용한 기능입니다.

저자는 아무렇게나 막 쓰는 사적인 계정에서는 특별히 피드 관리에 신경쓰지는 않는 편이지만, 사람들과 관계를 맺고 키워가는 계정에서는 항상 피드의 분위기와 인스타그램에 전체적으로 정갈함을 항상 유지하려고 노력하고 있습니다.

인스타그램이 여러분 사업의 연장선이라고 생각해 본다면, 어떤 계정은 매장을 찾아오기 전에 둘러보는 온라인상의 매장과 같습니다. 오프라인의 연장선에 있다는 말이죠. 손님을 맞이하기 위해서 매장 청결 관리를 열심히 하는 것과 마찬가지고 온라인상의 매장인 인스타그램도 청결을 유지해야 합니다.

사진작가의 인스타그램이라면 촬영의뢰를 받기 위해 퀄리티가 좋은 사진 위주로 올려두어야 하고, 큐레이션 계정이라면 일관된 섬네일로 가독성을 신경 쓰면서 피드를 관리해야 합니다. 한두 개쯤 괜찮겠다고 생각하기 시작하면 조금만 시간이 지나도 엉망진창 상태가 되기 일쑤이니 하나의 인스타그램 계정에는 3개의 방이 있다고 생각하고 피드, 릴스, 스토리 영역을 구분해서 관리하여야 합니다.

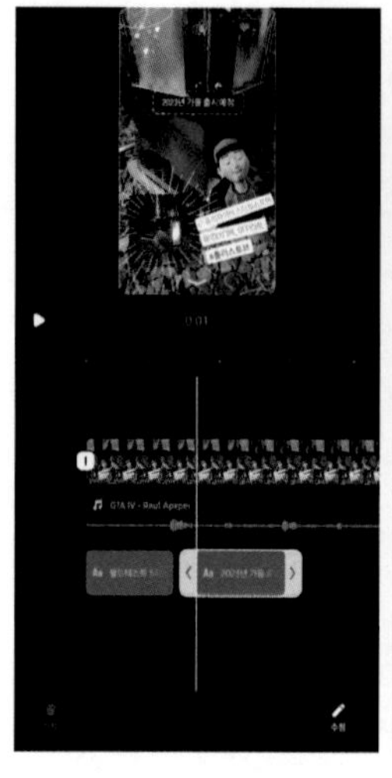

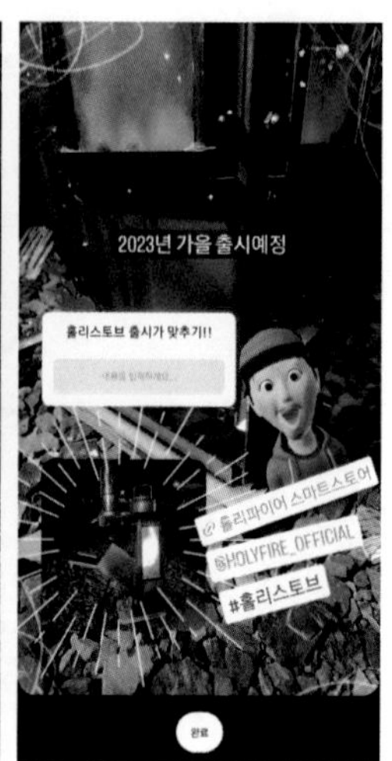

스토리는 스마트폰에 저장된 사진과 영상, 그리고 화면을 꾸며주는 다양한 스티커와 기능을 조합하며 나만의 콘텐츠를 만들 수 있습니다. 위 캡처 이미지를 보면 세로로 촬영한 동영상을 배경으로 두고, 그 위에 텍스트를 넣고, 아바타 스티커, 질문, 해시태그, 계정, 링크, 또 다른 사진, 강조 효과 스티커 등의 기능을 넣었습니다. 음악도 넣을 수 있습니다. 이렇게 구성한 스토리는 24시간 동안 인스타그램에 노출됩니다.

각 기능은 시각적인 효과만 있는 것은 아니고, 다른 사용자가 클릭하면 해당 기능을 동작하게 합니다. 온라인쇼핑몰을 운영하는 계정이라면 보통 링크에는 해당 상품의 상세페이지 링크를 걸어둡니다.

저자도 스토리는 누군가를 태깅하거나, URL 기능을 사용하기 위해서 주로 스토리를 사용하는 목적으로 주로 이용하고 있습니다.

프로필 영역의 사진을 누르면 24시간이 지나지 않은 스토리 콘텐츠가 등록한 순서대로 최신순으로 볼 수 있습니다. 하단에 있는 버튼들을 사용하여 스토리를 다시 릴스 영상으로 만들 수도 있고, 공유하거나, 유료 광고를 집행하거나, 24시간 후 사라지지 않도록 하이라이트 영역에 저장할 수 있습니다.

릴스를 올리면서, 피드에도 드러낼 수 있고, 스토리에 올리면서 릴스와 하이라이트 영역에 노출 시킬 수도 있습니다. **계정을 운영하는 입장에서는 같은 콘텐츠가 형식만 달리해서 여기저기 중복해서 보이는 것 같겠지만, 실제로 우리 인스타그램을 그렇게 꼼꼼하게 보는 팔로워는 없다는 것을 인정해야 합니다.**

흔히 관심병자라는 말로 희화화되지만, 피드에 올리거나 릴스로 올리거나, 스토리에 올려도 내 팔로워들의 10%도 보지 않는다는 것을 인정해야 합니다. 만약 100% 본다면 여러분은 감시당하고 있는 수준이라고 생각하면 됩니다. 따라서 내가 보기에 중복 콘텐츠라 지저분하게 보이겠지만, 다른 사람에게는 수많은 인스타그램 콘텐츠 중에 정말 하찮은 하나의 콘텐츠일 뿐입니다.

저자의 경우에는 하루 정도는 내 인스타그램 영역 여기저기에서 보이도록 설정해 주고 시간이 지난 후에는 피드에서 삭제하고, 보관해야 할 만한 스토리는 하이라이트에 저장합니다. 릴스 역시 전체 무드에 어울리지 않는 콘텐츠라고 느껴지면 나중에라도 보관처리 해둡니다. 인스타그램에는 완전히 없애는 '삭제', 눈에 안 보이게만 해두는 '보관' 두 개념이 공존하므로 여러분이 원하는 대로 처리하면 됩니다.

저자의 경험으로는 어떤 콘텐츠이건 완벽히 삭제하는 건 좋지 않다고 생각합니다. 여러분들 중에서도 괜히 깔끔한 체하는 성격이라 할지라도 계정을 아예 삭제하고 다시 시작하거나, **콘텐츠를 완벽히 삭제하는 건 잠시 고민해 볼 필요가 있는 사안이라고 생각하세요. SNS 세계에서는 한 번 끊어져 버린 팔로우 관계를 다시 구축하는 일이 굉장히 힘듭니다.**

5,000명 최대치를 채웠던 저자의 페이스북을 완벽히 삭제하고 다시 계정을 만든 적이 있는데, 페이스북 이외에 플랫폼에 더 집중하느라 관리를 소홀히 한 점도 있지만, 다시 계정을 만든 지 1년이 지났는데, 현재 팔로워가 150명밖에 되지 않습니다.

하이라이트로 콘텐츠 모으기

스토리를 보관하는 영역이자, 이미 피드에 올려둔 게시물도 하이라이트로 등록할 수 있습니다. 하이라이트는 인스타그램 계정에서 다루는 주제들을 그룹화해서 한꺼번에 볼 수 있는 곳으로 사용합니다. 특히 의류 쇼핑몰 인스타그램 계정에서 시즌별로 신상품을 모아두거나 할 때 자주 사용하는 방식입니다.

인스타그램 하이라이트로 검색해 보면 해시태그들을 많이 볼 수 있는데, 하이라이트를 어떤 식으로 활용하는지 쉽게 찾아볼 수 있는 게시글들이 많으니, 인스타그램을 참고하여, 여러분도 하이라이트를 꼭 만들어 두시기를 바랍니다.

하이라이트는 인스타그램 프로필 영역 하단에 동그란 섬네일로 표시되고, 터치해서 들어가 보면 해당 계정에서 올려둔 스토리를 최근순으로 볼 수 있습니다. 4~5개 정도를 만들어 두는 것이 일반적인데, 5개가 넘어가면 좌우로 스크롤 해야 숨어있는 것까지 볼 수 있어서 5개 이상 만드는 것은 추천하지 않습니다. 구조적으로 아름답게 보이는 마지노선은 5개까지입니다.

피드의 게시물은 최신순으로만 배치되기 때문에 분류하여 레이아웃을 만들기는 거의 불가능합니다. 게시물을 등록할 때 3개씩 동시에 등록하는 '가로 맞추기' 기법이나 '세로 맞추기' 기법을 사용하는 방법이 있으나 너무 강박적으로 보이기도 하여 자연스럽지는 않게 보입니다. 그래서 피드 영역은 톤앤매너만 유지하면 됩니다.

톤앤매너 역시 사진 편집 앱을 잘 다루거나 인스타그램의 특정 필터를 지속해서 사용해야 한다는 점에서는 어느 정도는 강박적인 관리기법이라고도 할 수 있습니다. 하이라이트를 만들어봤던 독자들이라면 기존 하이라이트를 수 초간 누르고 있으면, 수정 팝업창이 나오는데, '하이라이트 수정'을 누르면 하이라이트의 섬네일(커버)을 바꿀 수 있습니다.

공급자로서는 판매제품이 많을 때, 카탈로그처럼 활용하기에 좋은 기능입니다. 피드에서는 시간 순서대로 콘텐츠를 볼 수 있다면, 하이라이트에서는 여러분의 의도대로 콘텐츠를 모아서 보여줄 수 있습니다.

인플루언서 입장에서는 인스타그램을 매우 열심히 관리하고 있다는 인상 이외에는 특별한 이점은 없습니다. 다이어리를 꾸미기에 진심이었다면, 인스타그램에서도 학창 시절의 추억을 떠올리며 하이라이트를 만들고 자신의 콘텐츠를 일목요연하게 꾸미는 것이 하나의 재미일 수는 있을 것이고, 이렇게 꾸며진 여러분의 인스타그램은 제품협찬을 받을 때, 누군가가 팔로우할 때 좋은 인상을 줄 수는 있습니다.

커버 수정을 누르면 여러분의 스마트폰에 저장된 다른 사진으로 교체할 수 있는데, 이때 Canva 앱이나 미리캔버스 모바일 웹사이트를 사용하여 커버 이미지를 다양한 방식으로 만들 수 있습니다. 저자는 칸바앱을 이용하여 간단하게 글자로만 만든 커버를 등록해 보았습니다.

앞서 말했듯이 하이라이트의 커버를 만드는 방법은 아주 다양합니다. 인스타그램 검색으로 다른 사용자들은 어떤 디자인으로 만드는지 벤치마킹해 보고 여러분들도 따라서 해보시기를 바랍니다. 해당 과정은 유튜브에서 "인스타그램 하이라이트 커버 등록"이라고 검색해 보면 나오고, 칸바앱으로 커버를 디자인하는 방법도 유튜브에서 쉽게 찾을 수 있습니다.

하이라이트를 만들어 본 적이 없다면 기존에 올려두었던 게시물을 활용해서 스토리처럼 꾸며서 등록해 보아도 효과적입니다. 게시물 공유하기(종이비행기) 버튼을 누르고, '스토리에 게시물 추가'를 누릅니다. 그 후에 스토리를 꾸미는 방식처럼 화면 상단의 각종 기능 아이콘을 활용해서 꾸며주고, 하이라이트 추가를 눌러서 등록하면 됩니다. 그러면 하이라이트가 추가되고 방금 등록한 게시글이 스토리처럼 보이는데, 커버로 등록이 되어버립니다.

저자가 했던 방식처럼 하이라이트를 멋지게 꾸며보고 싶다면, Canva 앱으로 하이라이트 커버 만드는 법을 유튜브에서 공부하세요. 장담컨대 10분이면 배울 수 있습니다.

피드와 릴스 영역은 구분하세요

인스타그램에서는 콘텐츠를 등록하는 4개의 영역이 있습니다. 게시물(피드), 릴스, 스토리, 하이라이트 물론 라이브 기능도 있으나 고정적으로 유지되는 건 아니므로 언급하지 않겠습니다. 피드에서는 여러분들의 설정에 따라 릴스의 영상 섬네일이 보이게 할 수 있습니다. 게시물을 올릴 때 첫 번째 선택 콘텐츠를 동영상으로 한다면, 동영상의 첫 화면이 피드에 정지된 상태로 노출됩니다.

그리고 스토리에 올린 콘텐츠는 24시간이 지나면 사라집니다. 그래서 하이라이트라는 영역에 저장하여 사라지지 않도록 할 수 있습니다. 정리하자면 게시물과 릴스는 이웃사촌 간이고 스토리와 하이라이트도 연관되어 있습니다.

앞서 보여드린 건강한 인스타그램 계정의 예시를 보면 피드 영역과 릴스 영역이 확실히 구분되어 있습니다. 릴스는 등록하면 피드 영역에도 노출할지 결정할 수 있는데, 처음에는 노출되게 하고 일정 시간 (약 12시간) 뒤에는 피드에서 삭제하는 것이 피드 관리를 아름답게 할 수 있는 노하우입니다.

물론 피드 영역에 릴스 영상이 노출되어도 관계는 없습니다. 다만, 릴스를 제작할 때 섬네일을 등록하는 기능이 있는데, 이를 활용하면 릴스가 피드에 노출되어도 피드에 있는 다른 게시물과 함께 보여도 어색하지 않습니다만, 이렇게 세밀하게 관리하기가 어려우니 처음부터 구분해서 등록하는 것이 바람직합니다.

릴스 등록 옵션

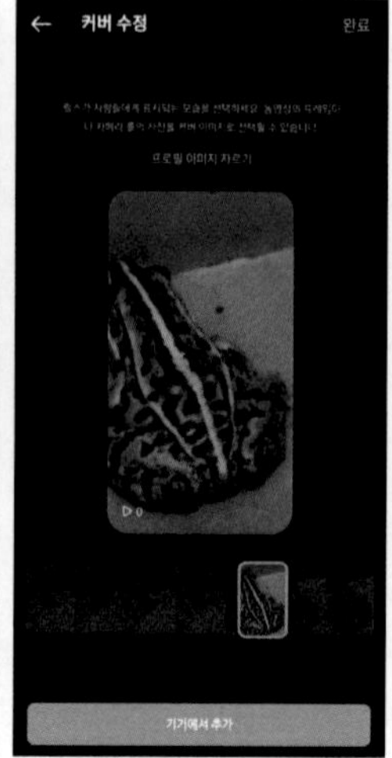

영상에서 섬네일 선택

별로의 섬네일 만들기

섬네일을 포함한 릴스

피드에 보이는 릴스

릴스 영역 섬네일

릴스에 관한 부분은 차차 다루게 되니, 이번 챕터에서는 저자가 왜 피드와 릴스 영역을 구분해서 등록하라고 하는지 이해만 하면 됩니다. 결론부터 말하면 좀 귀찮기도 한 추가 작업이 발생하고, 사진의 분위기와 영상의 분위기를 일정하게 맞추기 위해 매번 영상의 섬네일용으로 사진을 찍어두기도 불편하기 때문입니다.

릴스를 등록할 때, '피드에도 공유'라는 부분을 활성화해 두면 릴스의 첫 화면이 섬네일처럼 피드에도 나타나게 됩니다. 릴스는 영상 중의 일부를 첫 화면 만들 수 있으니, 사람들이 어떤 영상인지 알 수 있는 장면을 선택하거나, '기기에서 추가' 버튼을 눌러 별도의 이미지 편집 도구에서 영상의 첫 화면을 만들어서 섬네일로 등록할 수 있습니다.

별도 섬네일은 릴스와 같은 비율인 9:16으로 만들어야 합니다. '프로필 이미지 자르기' 글자를 누르면 피드에서 보이게 될 1:1 비율의 영역을 설정할 수 있어서 피드에서도 깔끔하게 원하는 부분이 노출되게 할 수 있습니다. (인스타그램에서는 파란색으로 보이는 글자나 버튼이 항상 어떤 기능을 수행합니다. 화면을 꼼꼼하게 읽어보면 매뉴얼 없이도 다룰 수 있습니다.)

5일 차

팔로워 늘리는 법

공급자 입장이라면 팔로워를 늘리지 마세요

온라인쇼핑몰에서 제품을 팔거나, 매장을 운영하거나, 유무형의 제품을 팔아야 하는 구조의 공급자, 사장님, 소상공인들이라면 인스타그램을 할 시간조차 없을 겁니다. 내 제품 하나 인스타그램에 올릴 시간도 없는데, 예비 고객들과 소통하며 팔로워를 늘리는 시간은 더더욱 없죠.

이런 말을 저자는 수백 번의 강의와 클래스, 컨설팅하면서 너무 많이 들었습니다. 충분히 공감하는 바이지만 반은 공감할 수가 없습니다.

한 사업체의 대표자로서 내가 해야 할 일의 총량이 100이라고 한다면, 그중 30%는 반드시 마케팅에 시간을 써야 합니다.

제품이 좋으면 얼마든지 고객은 알아주고, 또 단골이 된다고 생각하겠지만 요즘은 뭐든 상향평준화의 시대입니다. 기준미달인 제품은 순식간에 시장에서 퇴출당하니 결국 고객들의 눈에 보이는 건 모두 좋은 제품입니다. 그래서 옛날처럼 제품만 좋으면 저절로 성공하는 시대는 끝났습니다.

내 제품이 왜 좋은지 끊임없이 알리고, 경쟁자들의 제품을 분석하고, 경쟁자들의 제품을 소비하는 고객들이 남긴 댓글을 모두 살펴보고 지속해서 내 제품의 경쟁력을 높여야 합니다.

가만히 있으면 누군가는 나를 벤치마킹하여 더 발전하고, 나는 도태 당하고 시장에서 소리소문없이 사라집니다.

공급자들은 항상 조바심이 나지만 시간도 돈도 없습니다. 결국 자신이 본업이라고 생각하는 부분만 더 많은 시간을 쓰려고 합니다.

저자는 공급자 입장의 독자 여러분께 인스타그램이라는 홍보 수단을 쓰면서 팔로워라는 정량적인 수치에 신경을 아예 끄라고 말하겠습니다.

엄밀히 따지고 보면 많은 팔로워는 내 제품과 서비스가 좋다는 것을 간접적으로 보여주는 수치는 될 수 있으나 언제 내 제품을 구매할지 알 수 없는 예비 고객일 뿐입니다. 팔로워 수가 직접적으로 내 매출에 도움이 안 된다는 것입니다.

여러분이 인스타그램을 시작하고, 계속 여러분 제품에 관한 이야기를 인스타그램에 꾸준히 주 1회라도 올리면 시간이 지날수록 팔로워는 서서히 늘어납니다. 소위 진성 팔로워라고 부르는 집단이 생겨납니다.

팔로우 이벤트를 하면 일시적으로 팔로워가 늘어나는 것을 경험할 수는 있지만, 이렇게 모은 팔로워는 결국 다 떨어져 나갑니다. 이벤트 당첨자 발표를 하는 그 순간부터 썰물처럼 빠져나갑니다.

문제는 빠져나간 팔로워들이 아닙니다. 오히려 빠져나가면 고마워해야 합니다. 이벤트에 참가하기 위해 부계정을 여럿 가지고 있는 사람들이 있습니다. 이벤트 헌터 계정이라고도 부르는데, 본 계정은 절대로 이벤트 참가에 활용하지 않고, 평소 전혀 관리하지 않는 부계정으로 이벤트에만 무분별하게 참여합니다. 이 계정들이 언팔(팔로우 취소)도 하지 않고 여러분의 계정에 계속 남아있게 됩니다.

비정상적으로 모은 팔로워들이 여러분의 계정 성장을 정체시키는 암적인 존재로 바뀐다는 것입니다. 왜 그럴까요? 이 계정들은 평소에 사용하지 않는 계정이므로 굳이 언팔을 할 수고조차 하지 않습니다. 그리고 여러분들이 가끔 올리는 콘텐츠(게시물, 스토리, 릴스)에 전혀 반응하지 않습니다.

이런 상태가 되면, 팔로워 수 대비 콘텐츠 조회수가 엄청나게 줄어들게 됩니다. 일반적으로 정상적인 계정이라면 내 팔로워 수 대비 조회수는 5%~10% 정도가 나오는 것이 정상적이지만, 가짜 부계정이 많아질수록 조회수는 급격하게 낮아집니다.

인스타그램 알고리즘은 여러분이 좋은 콘텐츠를 올렸는지 판단하는 기준을 다른 사용자로부터 알아냅니다. 따라서 콘텐츠를 하나 올리고 난 다음 팔로워들이 많은 피드백(좋아요/댓글/저장/공유)을 해야 해당 콘텐츠가 팔로워가 아닌 다른 사용자에게도 유용한 정보를 담고 있다고 판단합니다. 집단지성 비슷한 결과라고 보면 됩니다.

그런데 이 과정에서 여러분들의 계정이 이벤트로 긁어모은 부계정들, 부업 계정들, 무분별하게 아무 계정이나 팔로우하는 맞팔 계정들로 가득 차 있다면, 팔로워 수가 몇십만 몇백만이라고 할지라도 여러분들이 올리는 콘텐츠는 올리는 족족 쓰레기로 전락하고 말게 됩니다.

이 상황까지 이르게 되면, 복구할 방법이 없습니다. 계정을 버리고 다시 시작해야 합니다.

그러면 공급자는 팔로워를 늘릴 필요가 없을까요?

네! 인위적인 방법으로 전혀 늘릴 필요가 없습니다. 대신 저자가 알려드리는 정상적인 팔로워 늘리기는 때때로 해보시는 걸 추천해 드립니다.

자연스러운 진성 레벨업 노하우

인스타그램 계정의 레벨이 높다는 것은 꾸준히 좋은 콘텐츠를 발행하고, 팔로워들과도 관계 유지(대댓글)를 잘하고 있다는 뜻입니다. 물론 우리는 다른 계정도 방문해서 내가 원하는 피드백과 똑같은 행위를 해야 합니다. '좋아요'도 누르고, 댓글도 달고, 공유도 하고, 저장도 하라는 것이죠. 일방적으로 바라기만 해서는 계정이 성장하지 않고, 속도가 더딥니다.

콘텐츠를 발행하는 것보다 더 중요한 것이 나를 팔로잉하고 있는 다른 유저들, 내가 팔로우하는 다른 유저들의 콘텐츠에 피드백을 열심히 하는 것입니다.

저자가 오프라인 강의에서 자주 말하는 부분이 있습니다. **'말하는 것보다 듣는 것이 더 중요한 것은 인스타그램에서도 똑같다.'** 말하는 행위는 콘텐츠를 발행하는 것과 같고 듣는 것은 다른 유저에게 피드백을 해주는 것과 같습니다. 실제 현실에서도 말이 많은 친구는 좀 피곤하고, 내 말을 잘 들어주는 친구가 더 끌리지 않던가요? 인스타그램에서도 똑같다고 생각하시면 됩니다.

새로운 사진을 찍어 올리고, 최신 트렌드의 릴스를 만들어 올리는 것도 중요한데, 다른 사람의 콘텐츠도 봐주고 잘 봤다고 피드백하는 것도 중요합니다.

저자는 이 부분을 약간 의무적으로 하고 있습니다. 홈피드 스크롤을 내려가면서 광고는 피해 다른 유저들의 콘텐츠를 두 번 터치하여 '좋아요'를 빠르게 처리하고, 일부 글을 저장 버튼을 누릅니다. 댓글을 남기는 건 솔직히 좀 귀찮습니다. 그래서 이모티콘만 남깁니다. 그리고 공유 기능은 저자의 개인 카카오톡으로만 보냅니다. 하루에 한 10분 정도 식사 시간

이후에 양치하듯 루틴을 만들고 계속하고 있습니다. 이 중에서 추천해 드리는 건 아무래도 제일 빠르게 할 수 있는 '좋아요' 표시와 제일 귀찮은 댓글입니다. 댓글은 상대방에게도 누가 댓글을 남겼다는 것을 알려주게 되므로 그 사람이 다시 내 계정을 방문하고 '좋아요' 등을 주르륵 눌러주고 가기도 합니다. 어찌 보면 인스타그램에서 벌어지는 암묵적인 품앗이 같은 행위라고 보면 됩니다.

인플루언서라면 팔로워를 늘려야 합니다

공급자와 정반대의 논리에서 접근해야 합니다. 공급자는 팔로워 수가 직접적인 매출에 영향을 주지 않습니다. 반대로 인플루언서는 공급자와 공생하는 관계이기 때문에 인스타그램에서의 영향력이 얼마나 되는지 일차적으로는 팔로워 수가 정량적인 기준이 됩니다.

하지만 진성 팔로워가 늘어나는 데 시간이 오래 걸리기 때문에 팔로워를 돈으로 구매하는 방법을 사용하는 사람들도 있는데 일장일단이 있습니다.

앞서 공급자로서 팔로워에 관한 내용을 읽어보셨겠지만, 돈을 주고 산 계정도 결국은 내가 올린 콘텐츠에 반응하지 않는 소위 죽은 계정이라고 볼 수 있으므로 궁극적으로는 내 계정에 암을 키우는 것과 같은 꼴이 됩니다.

그리고 여러분께 협찬을 제의하거나, 여러분이 협찬 요청을 해서 공급자(브랜드 대표 혹은 SNS 담당자) 가 여러분의 계정을 자세히 조사하게 되면 돈을 주고 산 팔로워인 것을 추측할 수도 있습니다.

돈 주고 팔로워를 구매한 계정의 특징

1. 팔로잉에 비해서 팔로워가 지나치게 많다.
2. 팔로워 수에 비해서 피드백(좋아요/댓글/저장/공유)이 적다.
3. 외국인 계정 팔로워가 많다.
4. 게시물 수가 팔로워에 비해 적다.

인스타그램에는 10K 이상 팔로워를 보유한 계정 중에 팔로워를 돈으로 구매한 예도 많이 있습니다. 그래도 아무 문제가 없는 건 사람들이 팔로워 숫자에만 관심이 있을 뿐, 어떤 사람들이 해당 계정을 팔로우하고 있는지는 관심도 없고 살펴보지도 않기 때문입니다.

이렇게 돈으로 팔로워를 구매한 다음, 공동구매를 진행한다든지 브랜드로부터 제품협찬을 받는 사례가 빈번하게 발생합니다.

허울 좋은 마이크로 인플루언서가 협찬을 잘 받는 이유

왜 이런 일이 가능할까요? 협찬을 진행할 때 공급자들이 팔로워 숫자만 보고 실체를 조사하지 않는다는 데 있습니다. 과연 그럴까요?

저자가 경험한 바로는 그렇다고 말할 수 있습니다. 팔로워들과 소통이 없고 콘텐츠에 대한 반응도 없는데 팔로워 숫자가 높은 계정들, 마이크로 인플루언서들을 보면 실속이 없는 깡통 계정들이 의외로 협찬을 쉽사리 받는 걸 볼 수 있습니다.

브랜드에서 제대로 일을 하지 않는 것이죠.

1. 제품제공 이벤트를 할 때 계정 확인 없이 당첨자 선정
2. 제품협찬 의뢰 시 팔로워들과 소통 레벨 확인하지 않음
3. 귀찮아서 아무나 선정 (담당 직원은 사장님 마음과 다릅니다)

그래서 결론은? 돈 주고 팔로워를 구매한 티가 나지 않도록 은근슬쩍 팔로워들을 늘려야 합니다. 다음 내용에서 자세히 다루겠습니다.

인스타그램에도 마중물은 필요하다

독자 여러분 마중물이라고 들어보셨나요? 펌프질할 때 물을 끌어 올리기 위하여 위에서 붓는 물을 의미합니다. 마중물 없이는 땅속 깊은 곳에 있는 지하수가 올라오지 않습니다. 인스타그램에서도 마중물이 필요합니다. 앞서 저자가 말한 인스타그램을 성장시키는 방법은 꾸준하게 지속해야 하는 정석의 방법입니다. 여러분의 노력에 마중물을 부어준다면 더 짧은 시간에 계정은 폭발적으로 성장할 수 있습니다.

정성의 방법이 노력과 시간이 들어간다면, 마중물은 돈이 들어갑니다. 인스타그램에는 게시물 광고라는 마중물이 있고, 인스타그램의 유료 광고는 인스타그램에 있어서는 캐시카우입니다. 당연히 광고는 돈이 듭니다. 인스타그램에서 광고하는 방법은 초보자도 할 수 있을 정도로 간편하며 쉽게 설계되어 있습니다.

여러분의 인스타그램 계정을 프로페셔날 계정으로 변경하고, 페이스북 페이지를 자동으로 하나 연결하면 세팅은 끝납니다. 물론 해외 결제가 가능한 신용카드가 필요합니다. 페이스북 광고관리자 페이지에 접속하지 않아도 인스타그램에서 게시물 홍보하기 버튼만 누르면 여러분이 광고 대상으로 설정한 인스타그램 유저들에게 게시물을 노출할 수 있습니다.

유료 광고하는 방법은 유튜브에서 쉽게 찾을 수 있습니다. 인스타그램에서 제공하는 유료 광고 이외에도 마중물을 부을 수 있는 더 좋은 방법이 있습니다. 이미 많은 대행사에서도 노하우라고 말하며 사용하고 있는 방법입니다. 이제 그 방법을 여러분들께도 알려드릴 시기가 된 것 같습니다.

인스타그램전문관리 그린인스타 · 국내최다 고객&기업관리업체

견적문의 온라인상담 무료컨설팅

인스타프렌즈 대박 이벤트 · 팔로워&좋아요 완벽 시스템

100% ALL 한국인 팔로워 증가, 안전 신뢰 정확 3대장

견적문의 사용법 문의 기타문의

계정 최적화전문 sns플러스 · 개인&기업 마케팅 전문

sns plus1.com

한국인 팔로워,좋아요 증가, 인기게시물 노출, 쇼핑몰 노출,기업 홍보 광고 전문

견적문의 사용법문의 서비스소개

인스타그램 유료광고

네이버에서 "인스타그램 팔로워 늘리기"라고 검색하면, 생각보다 많은 업체에서 광고하고 있다는 사실에 놀라게 됩니다. 수요도 그만큼 많다는 것이고, 인스타그램을 운영하다 보면 이런 업체들에서 DM도 많이 받습니다.

이게 만약 불법이라면 네이버에서 광고할 수 없으니, 불법은 아닙니다. 편법에 해당할 순 있을 것이고, 양심의 문제이기도 합니다. 누군가에게는 다른 사람의 '좋아요' 숫자를 보고 해당 게시물을 올린 계정을 팔로잉할 수 있으니까요.

지금부터 말씀드리는 방법은 양날의 검이 될 수 있습니다. 욕심을 부리면 계정 자체가 블락되어 버리는 쉐도우벤 상태가 됩니다. 하지만 마중물의 개념으로 적절하게 사용하면, 더 빨리 계정을 키울 수 있습니다. 인스타그램은 상위노출만이 목적이 아닙니다. 꾸준하게 내 계정을 건강하게 키우는 것이 목적입니다.

저자는 이런 서비스들은 양과 음의 중간쯤에 있는 그레이햇 정도의 개념으로 이해하고 있습니다. 해커를 구분할 때 사용하는 용어인데, 블랙햇 / 화이트햇 / 그레이햇으로 나뉩니다. 더욱 자세한 내용은 https://ko.wikipedia.org/wiki/그레이햇 위키를 찾아보시면 됩니다.

네이버에서 찾은 어떤 업체에서 제공하는 서비스 가격입니다. 한국인 계정으로 '좋아요'를 받을 때는 건당 70원꼴로 50개를 넣어준다고 되어 있습니다. 외국인 계정은 훨씬 저렴합니다.

'좋아요' 수치만 증가하면 알고리즘에서 수상하게 여길 수 있으니, '좋아요'와 함께 도달과 노출을 늘려주는 서비스도 돈을 받고 해주고 있습니다. 그 외에도 공유와 저장, 댓글마저 돈을 주고 구매할 수 있습니다.

매번 게시물을 올릴 때마다 이런 방법을 사용하면, 대략 만원 정도의 비용이 발생합니다. 인스타그램의 유료 광고는 노출만 해주는데 최저 비용이 하루 2,000원 정도 발생합니다. 오로지 노출 더해준다는 조건으로 내는 광고료입니다. '좋아요'나 저장, 댓글, 공유는 보장하지 않습니다.

업체에서는 고객이 필요한 숫자만큼 돈을 지급했기 때문에 수량이 덜 채워지면 AS를 요청할 수 있고 그 수만큼은 꼭 채워줍니다.

마중물 해킹 시스템

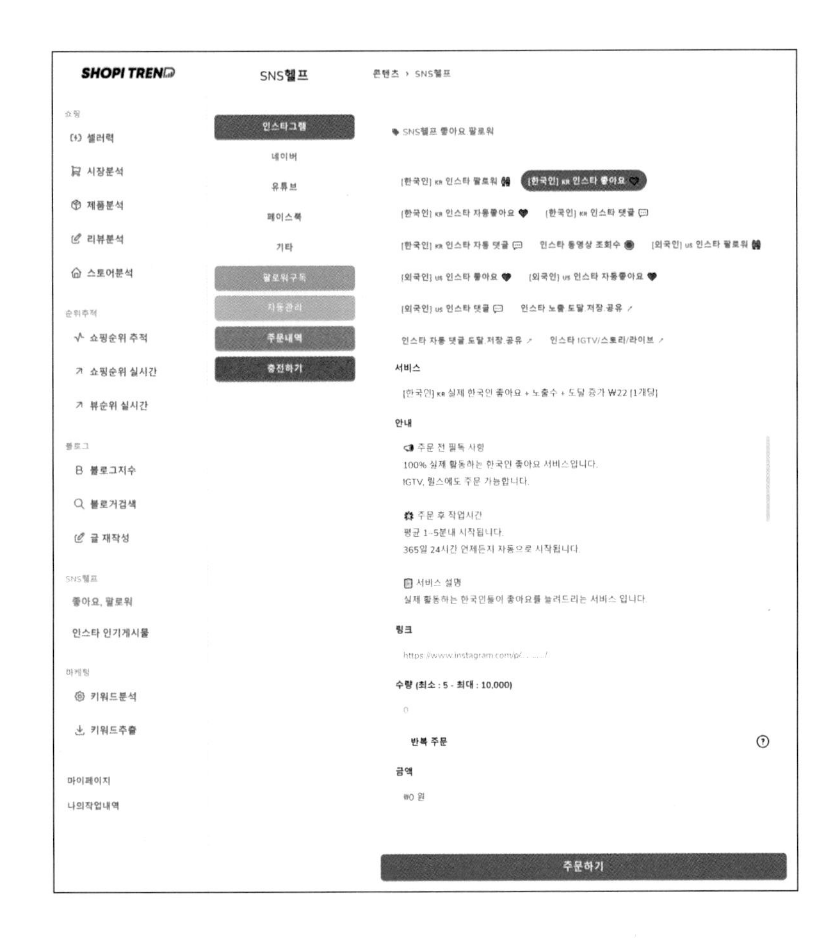

이런 마중물 시스템을 사용할 때도 물론 주의 사항은 있습니다. '좋아요', 댓글, 공유, 저장 등의 게시물이 등록되었을 때의 피드백은 되도록 사람이 하는 것처럼 보여야 한다는 것입니다. 먼저 게시물이 등록되면 내 팔로워가 알게 됩니다. 그런데 아직 내 팔로워가 없으니, 노출할 수가 없습니다.

따라서 노출과 도달 상품을 구매해서 트래픽을 강제로 만들어 내고, 그 후에 '좋아요' 상품을 구매하고, 마지막으로 공유, 저장 상품을 구매합니다.

이 순서가 결국 사람들이 실제로 게시물에 보이는 반응의 순서인데, 만약 **'좋아요' 구매만 반복적으로 자주 하게 되면 계정이 막혀버릴 수도 있으니 주의해야 합니다.**

또한 게시물을 올리고 나서 한참 시간이 지난 게시물에 트래픽을 부어주는 것은 무용지물입니다. 따라서 상위노출을 시키고 싶은 게시물이 있다면, 모든 상황을 준비하고 순차적으로 진행해야 합니다.

- 1단계 : 트래픽을 몰아줄 서비스에 가입하고, 충전금 결제해 둡니다.

- 2단계 : 게시물, 릴스 등의 콘텐츠를 완벽하게 만들어 둡니다. 글자는 메모장에 미리 입력해 두고, 사진이나 영상도 바로 올리면 되는 단계까지 수정합니다.

- 3단계 : 트래픽 사이트에 접속하여 상품 구매할 준비를 합니다.

- 4단계 : 게시물을 올리고, 즉시 트래픽 상품을 구매합니다. 순서는 노출, 도달 상품 > '좋아요' > 공유, 저장 상품 순으로 각 3분 간격으로 구매합니다.

- 5단계 : 30분 이후 게시물에 작성해 둔 +5000 이상의 해시태그로 검색했을 때 상위노출이 되면 제대로 진행이 되었다고 볼 수 있습니다.

마중물과 진정한 우물을 혼동하지 마세요

독자 여러분은 지금까지 내용을 알고 나서 어떤 생각이 드시나요? 이런 방법도 있었구나, 혹은 나는 절대 돈 주고는 이렇게 못하겠다. 혹은 빨리 돈을 내더라도 계정을 빨리 키워서 인스타그램을 하는 목적을 빨리 달성하겠다. 여러 가지 생각으로 머리가 복잡해졌을 수도 있습니다.

저자가 마중물 이야기를 꺼낼 땐 분명한 이유가 있었습니다. 우물가에서 펌프질해 본 경험이 없는 분들이 많겠지만, 마중물은 단 한 번만 부어두면 됩니다. 이미 물이 펑펑 나오고 있는데 더 이상 마중물을 부어주는 멍청한 짓은 하지 않습니다.

인스타그램 계정을 만들고 처음에는 우리가 콘텐츠를 만들고 사람들과 관계를 맺는 시간이 꽤 오래 걸릴 겁니다. 그래서 조급함이 생깁니다. 현실에서도 갑자기 친구가 생기고 인기인이 되지 않는 것처럼, 친구를 만들고자 한다면 시간도 노력도 돈도 들어갑니다. 학교에서 친구랑 빨리 친해지는 방법의 하나는 한 번쯤은 용돈을 모아 친구들에게 떡볶이라도 사면 금세 친해지기도 합니다. 인간은 생각보다 물질적인 유혹에 약하니까요.

하지만 그 후로도 계속 떡볶이를 사줘야지만 친구 관계가 유지된다면 그건 누구의 잘못일까요? 돈으로 떡볶이는 살 수 있지만, 친구는 사지 못합니다. 인스타그램도 마찬가지 아닐까요? 돈으로 살 수 있는 것들은 수치일 뿐이고, 매번 그 수치를 살 수도 없습니다. 물론 팔로워마저 돈으로 살 수 있습니다. 그런데 팔로워는 절대로 돈을 주고 사면 안 되는 수치입니다. 인스타그램에서 마중물까지 부어가며 계정을 키우는 목적은 팔로워를 점차 늘려가지 위함이지 팔로워 수를 인위적으로 늘리는 건 계정을 망하게 하는 지름길이기 때문입니다.

돈을 주고 피드백을 산 것과 팔로워를 사는 것은 완전히 다른 개념으로 구매한 팔로워는 여러분들이 게시물을 올리던 그 사람의 계정에 가서 피드백해 주건 아무런 반응을 하지 않습니다. 유령 계정 혹은 비활동성 계정이라고 하는데, 그런 계정들은 앞서 이야기한 부업 계정과 똑같이 여러분들이 올린 게시물들이 1차 검증을 지나는 동안 아무런 역할을 하지 못하기 때문에 결국은 강제로 피드백을 만들어 내기 위해 또 돈을 주고 피드백을 사야 하는 악순환의 결과만 불러올 뿐입니다.

부디 이 글을 읽는 독자 여러분은 당장 이익을 위해 황금알을 낳는 거위의 배를 가르는 성급한 결정을 하지 않으셨으면 좋겠습니다.

공급자 입장에서 인플루언서 선정법

마중물 시스템을 이해했다면, 공급자 입장에서는 어떤 인플루언서를 선택해야 할지 고민이 많아지게 됩니다. 순수하게 계정을 성장시키고 팔로워들과 소통하는 인플루언서를 찾아내는 방법은 발품을 팔아야 하는 일입니다. 저자가 알려주는 아래 방법으로 여러분들의 제품을 잘 홍보해 줄 수 있는 인플루언서를 찾아내 보시기 바랍니다.

1. [팔로워 : 팔로잉] 비율이 [2:1] 정도 되는 계정을 찾아내세요.
2. [게시물 수 : 팔로워] 비율이 [1:10] 정도 되는 계정을 찾아내세요.
3. 팔로워를 살펴보고 해외계정이 많은 계정은 걸러내세요.
4. 게시물과 릴스를 적절하게 업로드하고 있는 계정을 찾아내세요.
5. 콘텐츠를 잘 만드는 계정을 찾아내세요.

공급자 입장에서 인플루언서는 많이 확보할수록 좋지만, 그만큼 내 제품을 무료로 제공해야 하는 부담이 발생합니다. 단순하게 제품을 협찬하고 콘텐츠를 한 번 올려주는 일회성 관계에 그치게 될 수 있으니, 인플루언서의 영향력도 중요하지만, 지속적인 관계를 맺을 수 있는 사람을 찾아내야 합니다.

공급자가 판매하는 제품의 종류가 단순하다면, 많은 인플루언서를 확보해서 한 번에 콘텐츠를 만들어 내는 방식이 좋고 제품 종류가 다양하다면 단순한 제품제공이 아닌, 서포터즈나 앰배서더 운영이 좋습니다.

협찬과 협업을 할 수 있는 인플루언서

공급자로서 인플루언서를 바라보는 시각을 이해했다면, 인플루언서는 돈을 벌 수 있는 캐시카우가 어디에 있는지를 인식해야 합니다. 팔로워가 아무리 늘어도 여러분들이 올리는 게시물의 조회수가 아무리 많아도 결코 돈으로 직접 연결되지 않습니다.

블로그는 구글 애드센스로 광고수익을 얻을 수 있고, 유튜브도 마찬가지입니다. 광고주와 콘텐츠 제작자 사이에 플랫폼이 존재하고 광고주로부터 광고비를 받아서 콘텐츠 크리에이터와 수익을 배분하는 시스템하에서는 구독자와 팔로워를 늘리고 콘텐츠를 꾸준히 발행하여 광고수익을 얻을 수 있습니다.

하지만 인스타그램에서는 애초에 돈을 벌 방법이 존재하지 않습니다. 최근 릴스 자체로 수익을 얻을 수 있도록 (유튜브와 비슷한 방식) 인스타그램에서 시도하고 있으나 결론부터 말하자면 수익은 미미하고 희망 고문을 당하고 있는 사람들이 많습니다.

공급자가 이용하기 좋은 인플루언서가 되어야 합니다

인플루언서가 되고자 하는 사람은 콘텐츠를 만드는데 게을러서는 안 됩니다. 사진도 잘 찍어야 하고 글도 잘 써야 하죠. 무엇보다 중요한 것은 성실함이 인스타그램을 통해서 보여야 합니다.

공급자는 자신의 제품을 홍보해 줄 인플루언서를 선정할 때 팔로워보다는 얼마나 콘텐츠를 정성껏 자주 발생하느냐를 기준으로 삼습니다.

제품협찬을 받아도 한 번만 소개하는 계정이 있는가 하면, 게시물과 릴스 심지어는 효과가 미비하더라도 블로그나 유튜브 쇼츠까지 올려주는 성의를 보여준다면 공급자는 분명히 여러분을 선택하게 될 것입니다.

여러분 피드에 올라간 콘텐츠는 분명 다른 브랜드의 제품일 테지만, 여러분의 포트폴리오나 마찬가지입니다. 정성을 들인 콘텐츠는 여러분들의 팔로워들에게도 좋은 정보가 되니 일거양득입니다.

여러분들이 협찬받은 제품에 대해서 잘 몰라도 됩니다. 중요한 건 경험이고 경험과 공급자가 올려둔 제품정보 그리고 상세페이지의 상품설명을 잘 읽어보면 어떤 부분에 포커스를 맞춰서 콘텐츠를 만들지가 보입니다.

같은 내용이라도 실제 경험을 한 사람이 자세하게 경험과 지식을 버무려서 작성한 콘텐츠는 공급자가 설명하는 상품의 장점보다 훨씬 신뢰할 수 있는 정보가 됩니다.

이때 같은 제품을 협찬받은 다른 인플루언서들이 어떻게 콘텐츠를 만들었는지 참고하는 것도 좋은 방법이 됩니다.

6일 차
관계 마케팅의 시작
인플루언서 활용법

공급자 입장에서 관계 마케팅 시작

관계 마케팅에서 제일 중요한 점은 역시 나에게 맞는 적절한 규모의 인플루언서를 찾아내고 조건을 맞추는 것입니다. 대행사를 통해서 맡기는 방법도 있지만 대행 수수료도 발생하고, 맞지 않는 인플루언서가 연결되어 실제 효과가 거의 없을 수도 있습니다. 인플루언서는 단순히 제품을 받고 콘텐츠를 만들어 주고 나 대신 내 제품을 홍보해 주는 사람이 아닌, 내 제품을 좋아해 줄 수 있고 더 나아가 팬이 되어줄 수 있는 사람이어야만 합니다.

협찬을 제안할 건강한 인스타그램 계정 찾아내는 방법

- 내 인스타그램 계정을 팔로잉하는 사람
- 피드를 확인해 보고 꾸준히 콘셉트가 유지되는 사람
- 콘텐츠 제작 실력(피드의 사진과 릴스 영상)이 준수한 사람
- 게시물에 좋아요 숫자보다는 댓글이 많은 사람
- 팔로워를 확인해서 외국 가짜 계정의 팔로우가 없는 사람

우선 위 조건을 어느 정도 만족하는 계정을 찾아두고, 협찬할 제품(오프라인 매장이라면 서비스할 품목)을 선정합니다. 당연히 여러분이 홍보하고 싶은 제품 중에서 객단가가 높은 제품을 선택하는 것이 좋습니다. 한 개 팔아 천원 남는 제품보다는 만원 남는 제품을 정하시는 것이 유리합니다. 인플루언서를 통한 홍보는 구매 전환이 대량으로 발생하지 않습니다. 그리고 협찬은 한두 건 진행하는 것이 아니라 동시에 5~10명 정도를 진행해야 효과적이기 때문에 너무 비싼 제품을 협찬하는 것도 지양해야 합니다. 가성비는 좋지만, 마진이 높은 제품을 선택하는 건 인플루언서를 통한 마케팅에서도 마찬가지입니다.

저자가 위에서 나열한 조건들을 반대로 생각해 보면, 협찬받고 싶은 인플루언서가 되려면 어떻게 인스타그램 계정을 운영하고 있어야 하는지와 일맥상통합니다. 즉, 건실하게 운영되는 인스타그램 계정이 좋은 인플루언서입니다.

팔로워 수가 많은 대형 계정은 그만큼 협찬가격이나 조건도 까다롭습니다. 제품협찬은 촬영을 위해서 당연하고, 계정에 올리기 위해서 비용도 내야 합니다. 얼마 전 뉴스를 떠들썩하게 장식했던, 연예인, 셀럽의 협찬 사기도 있었습니다. 협찬을 진행하면 당연히, 실제 계약서를 주고받기도 하고, 메일이나 DM 등으로 조건을 명시해 둔 내용이 기록에 남아있으므로, 구두계약이 성립한 것과 같습니다. 일부 질 나쁜 인플루언서는 갑질을 하기도 하고, 계약된 조건을 일방적으로 취소하기도 합니다. 그래서 저자는 대형 인플루언서보다는 마이크로 인플루언서를 여러 명 동시에 진행하는 것이 바람직하다고 생각합니다.

사람의 심리가 참 고약합니다. 유명세를 가지면 자신이 대단한 사람인 양 분명 어떤 계약조건에 따라서 홍보를 해주는 것이지만, 갑질을 하려는 마음이 들기 때문입니다. 그리고 일정 기간에 게시물 노출을 유지해야 하는 약속에도 불구하고, 자신의 계정이 급속도로 커지게 되면, 유명한 브랜드의 제품들로만 채우고 싶은 비뚤어진 욕망도 급속도가 커지게 되니, 예전에 계약했던 중소규모 브랜드의 제품이 더 이상 자신의 피드에 노출되는 것을 부끄럽게 생각합니다.

협찬을 제안하는 구체적인 방법

협찬을 진행할 때, 여러분들의 계정에 잘 맞는 건강한 인스타그램 계정을 정리했다면, 그다음에는 협찬을 제안하는 일이 남았습니다. 작은 규모의 계정은 협찬을 처음 받는 경우도 허다합니다. 그래서 협찬이 들어오면 제품 이외에도 제작비(원고료)를 더 주는지부터 관심이 있는 사람도 있고, 줄다리기하려는 꼴값을 떠는 사람도 있습니다.

조건을 명확하게 제시하세요.

협찬을 제안할 때는 제품만 제공하는지, 콘텐츠 제작비도 주는지, 제품 수령 후에 언제까지 올려야 하는지, 몇 번을 올려야 하는지, 게시물 유지 기간은 언제까지인지, 해시태그를 어떤 것을 사용해야 하는 지 꽤 자세하게 작성해서 DM을 보내야 합니다. DM을 보낼 때는 답변을 언제까지 해라는 안내도 하고, 협찬 제안된 내용 이외에는 추가 협찬이나 광고료는 없다는 것도 알려야 합니다. 어디서 못된 것만 배워서, DM을 받으면 돈부터 요구하거나 답변을 일부러 늦추면서 주변 지인들에게 협찬 들어왔다고 동네방네 떠들고 광고료를 얼마 뜯어낼지부터 확인하는 사람도 있습니다.

협찬 제안을 할 땐, 정중하고 단호하게 진행해야 합니다. 즉, 부탁이 아니라 어떤 조건을 제안한다. 할 거냐 말 거냐 식으로 제안하기를 바랍니다. 그리고 이야기가 오가더라도, 실제 계약이 되기 전까지는 얼마든지 취소해도 상관없습니다. 만약 협찬이 진행된다면 계약은 되도록 문서로 만들어 두는 것이 좋습니다.

협찬을 제안하면 당연히 제품은 보내야 하는 것이지만, 제품이 너무 고가일 경우에는 회수를 조건으로 진행해도 됩니다. 제품을 가질 수도 원고료도 없지만, 제품 자체가 매력적이라면 얼마든지 인플루언서를 이용한 마케팅을 할 수 있습니다.

인플루언서 입장이든 제품을 제공하는 브랜드 입장이든 서로 조건이 맞으니 진행하는 것이지, 어느 한쪽이 부탁하거나 요청하는 일이 아닌 것만 똑바로 인지하고 있다면, 적은 비용으로도 효과적인 마케팅을 할 수 있다는 것을 기억하세요.

마이크로 인플루언서가 메가 인플루언서보다 유리한 점은 아무래도 팔로워 수가 적다 보니 팔로워들과 댓글이 활성화되어 있다는 것이고, 협찬 진행 비용이 비교적 저렴하다는 것입니다. 연예인급 메가 인플루언서 한 명 진행할 비용으로 마이크로 인플루언서 100명과 협업을 할 수 있는 것입니다. 단일 게시물의 노출 횟수는 당연히 메가 인플루언서가 더 크겠지만, 생성되는 게시물은 1개입니다. 마이크로 인플루언서는 100명이면 100개가 동시다발적으로 여러분이 제시한 해시태그를 통해서 비슷한 기간 동안 인스타그램에 많이 노출됩니다. 어떤 결과가 더 많은 매출을 올려주느냐가 핵심은 아닙니다.

결국 인플루언서를 이용해서 마케팅한다는 것은 제품과 서비스를 그만큼 노출해서 브랜드 인지도를 쌓아가는 것일 뿐, 노출이 많다고 해서 매출도 보장된다고 여겨서는 안 됩니다.

마케팅을 제대로 이해하지 못하고, 마케팅과 홍보를 구분하지 못해서 발생하는 여러 문제 중에 가장 큰 부분을 차지하는 것이 바로, 광고비를 썼는데 왜 매출이 오르지 않냐는 겁니다. 예전처럼 수요가 공급보다 더 큰 시절에는 어떤 제품이 출시되었다는 것만 알려도 불티나게 팔렸습니다. 하지만 요즘은 헝그리마케팅을 하지 않는 한 모든 물건은 공급이 더 많습니다. 대체재를 포함해서 너무 많은 물건이 생산되고 있습니다.

하루에 사람이 보는 광고의 개수가 3,000개가량이라고 합니다. 분명 노출이 잦으면 그만큼 인지도는 올라가지만, 결국 그 제품을 사느냐 마느냐는 다른 사람의 후기와 제품 자체의 매력도, 품질, AS 등 다양한 요인들이 작용해야 구매라는 최종단계를 통과할 수 있습니다.

대부분의 회사대표는 이런 생각을 하는 것 같습니다. '이렇게 좋은 물건을 만들었는데, 이게 홍보만 좀 되면 불티나게 팔릴 건데, 홍보가 안 돼서 안 팔리는 거지 제품은 이만하면 괜찮은 편이지!', '경쟁사 제품은 우리 제품보다 완전 별로고 품질도 안 좋고 순전히 마케팅 잘해서 많이 파는 건데, 사람들이 뭘 모르는구먼!'

대표님, 고객은 호구가 아닙니다. 경쟁사 제품이 잘 팔리는 건 마케팅을 잘해서가 아니라 대표님만 모르는 경쟁사 제품의 장점이 있기 때문입니다. 마케팅은 수단일 뿐, 품질도 별로고 가격도 비싼 제품이 마케팅을 잘했다고 잘 팔리겠습니까? 엉뚱한데 변명하지 마시고, 다시 제품부터 들여다보세요!

인플루언서 입장에서 관계 마케팅 시작

인플루언서라고 언급하면 인스타그램에서 뭔가 특별한 계급인 것으로 오해하는 경우가 많은데 실제로는 인스타그램을 좀 열심히 해서 게시물 자주 올리고, 팔로워 좀 있는 계정을 관리하는 일반인일 뿐입니다.

진짜 인플루언서라면 말 그대로 사람들과 사회에 영향력을 끼칠 정도의 유력인사를 말하는 것이죠. 올바른 정치적 발언을 한다든지, 사회적 이슈에 캠페인을 벌인다든지 인류 성장에 이바지할 만한 사람들이 진정한 인플루언서라고 할 수 있습니다.

우리가 말하는 인스타그램에서 인플루언서는 그냥 자랑쟁이 정도의 수준이죠. 지름신의 충실한 하수인이라고도 할 수 있고, 자기 잘난 맛에 사는 사람이거나, 어떤 목적을 가지고 콘텐츠를 꾸준하게 발행하는 사람이라고 할 수 있습니다. 이런 인스타그램의 인플루언서들은 소상공인, 브랜드들에는 제품과 서비스를 대신 홍보해 주는 멋진 매체가 되어주기도 합니다. 기업으로서는 힘들게 자체 마케팅 인력을 가지고 계정을 열심히 키우지 않아도 되는 외부의 마케팅팀이라고도 볼 수 있습니다. 어떤 식으로 활용하느냐에 따라서 체리피커가 될 수도 있겠지만, 잘만 활용하면 연예인, 셀럽보다 훨씬 값싸고 효율이 높은 광고판입니다.

저자가 캠핑이라는 취미로 인스타그램 계정을 운영하고, 협찬을 받고 해당 제품과 서비스를 대신 홍보해 주는 게시물을 올리면서 주변에서도 이를 부러워하는 사람들이 많아졌습니다. 진짜 부러워하는 사람 말고도 시기 질투하는 사람도 있겠지만 어쨌든 자신도 그렇게 나름의 유명세를 활용해서 기업으로부터 협찬을 받고자 하는 마음이 있을 겁니다. 표현 방법의 차이일 뿐이라 생각합니다.

저자도 처음엔 쉽게 협찬받지 못했습니다. 다행인지 주변에 제조업이나 유통하는 지인들이 있어서, 캠핑과는 무관할지 몰라도 제품을 협찬해달라고 졸랐고, 지인 관계에 있으니 협찬받을 수 있었습니다. 캠핑 갈 때 가지고 가서 제품이 멋지게 보이게 사진도 찍어보고, 릴스 영상도 올리고, 캠핑 유튜브 채널에 올리는 영상에 포함해서 소개하기도 했습니다. 여러분도 협찬받고 싶다면 마음에만 두지 말고 직접 협찬해달라고 요청하면 됩니다. 이건 하느냐 마느냐의 문제일 뿐입니다. 결과는 거절과 승낙 둘 중 하나이고, 거절당한다면 또 다른 업체에 요청하면 됩니다. 타율이라고 표현해 보자면 저자도 2할 정도 되는 것 같습니다.

업체에서는 팔로워의 규모와 관계없이 수많은 등급의 인플루언서로부터 협찬해달라는 요청을 자주 받게 됩니다. 아예 묵묵부답인 경우도 있을 것이고, 협찬 요청을 처음 받아보는 소상공인과 작은 규모의 기업, 브랜드도 있을 겁니다. 여러분이 인스타그램을 잘 운영하고 있고 팔로워도 많다면 역으로 협찬 제의를 많이 받게 될 겁니다. 하지만 그 정도 수준에 이르기까지 시간과 노력은 당연히 들어갑니다. 아직 규모는 크지 않지만, 협찬받아야 그 제품과 서비스로 인스타그램에 올릴만한 게시물도 있을 건데, 어떻게 하면 인플루언서라고 말하기도 어려운 소규모의 인스타그램 계정에서 협찬받을 수 있을까요? 다음부터 말하는 항목들을 잘 숙지하고, 한 번 시도해 보시기 바랍니다.

1. **내돈내산으로 콘텐츠를 이미 올리고 있어야 합니다.** 당연하지만 인스타그램 계정 규모가 작아도 리뷰성, 홍보성 콘텐츠를 꾸준히 올리고 있다는 것이 피드를 통해 보여야 합니다. 이 책의 초반부터 목적성을 가지고 인스타그램을 일관되게 운영하라고 말했습니다. 매번 음식 사진만 올리던 계정 운영자가 갑자기 호텔 숙박권을 협찬받겠다고 요청한다면 거기에 응할 업체는 하나도 없습니다. 업체에서는 협찬 요청받으면 우선 뒷조사를 하게 됩니다. 팔로워 수, 게시물의 관련성, 팔로워

들의 피드백 상태 등 해당 계정에 협찬하게 되면 얻게 될 이득을 살펴본다는 것입니다. 따라서 협찬받고자 하는 계정에서는 적어도 펜션, 모텔, 리조트를 내돈내산하여 숙박업소 리뷰를 피드에 노출해 두어야 합니다. 평소에 여행을 좋아했었다면 어차피 자기 돈으로 숙박비를 냈을 것이니 잊지 않고 사진만 찍어두면 나중에라도 게시물을 올릴 때, 리뷰하는 콘셉트로 글을 쓰고 게시물을 올리는 건 어렵지 않습니다.

2. **협찬받고자 한다면, 먼저 제안해야 합니다.** 협찬해 주세요! 이렇게 DM을 보내는 건 대단히 무례한 행동입니다. 협찬받고자 하는 업체 계정을 팔로잉하고, 업체에서 올리는 게시물에도 좋아요와 댓글을 남겨두어야 합니다. 인스타그램 기능 중에 공유와 저장은 횟수만 확인할 수 있을 뿐 누가 했는지 확인할 수 없으니 좋아요와 댓글만 남기면 됩니다. 눈도장을 찍어두는 과정이 중요합니다. 만약 업체가 이벤트를 하고 있다면 참여도 해보고, 이벤트 당첨되지 않아도 다른 당첨자들을 축하하는 댓글도 달아두도록 합니다. 어느 정도 해당 업체에 관심이 있다는 것을 알리고 난 다음에는 직접 문을 두드려 볼 단계입니다. DM을 보내는 방법이 제일 현명합니다. 협찬해 주세요! 는 금물입니다. 아랫글을 참고해서 협찬 요청 글을 미리 작성해 둡니다.

DM을 하루에 몇십 건을 발송하면, 계정 블락을 당할 수 있습니다. 협찬 요청 DM을 보낼 때는 3~5건 내외로 욕심부리지 말고 서서히 진행하는 것이 중요합니다. 그리고 원고료를 받고 싶은 욕망이 있어도 협찬을 여러분이 먼저 제안하는 입장에서는 절대로 '돈' 이야기는 꺼내면 안 됩니다. 제품협찬으로 점차 여러분의 계정에 인지도가 있는 브랜드가 쌓이게 되면 그 후에는 반대로 협찬 요청을 받게 되는 입장이 됩니다.

'안녕하세요. 저는 xxx 주제로 인스타그램을 하는 xxx입니다. 먼저 이렇게 불쑥 DM을 보내는 것이 혹 예의에 어긋나는 일이 아닐지 우려되지만, 저는 정말 xxx 브랜드를 좋아합니다. 제 계정에 xxx 브랜드의 제품(서비스)을 올리고 싶은데, 혹시 협찬할 수 있으시다면, 제 인스타그램을 한 번 봐주시고, 괜찮으시다면 답변을 주시면 감사하겠습니다. 저는 사진작가처럼 멋진 사진을 찍지는 못하지만, 제품을 멋지게 보일 수 있도록 최선을 다해서 촬영하고 있습니다. 그리고 제품 상세페이지를 연구해서 제품의 특장점을 기억하고 실제로 사용해 보면서 개인적인 홍보 포인트도 고민해서 게시물을 올리고 있습니다. 업무가 바쁘신 중에도 DM 읽어주셔서 감사하고요. 저는 원고료나 일체의 비용을 받지 않습니다. 제품협찬만 해주시면 감사히 생각하고 제 피드에도 멋진 xxx 브랜드 제품을 홍보하는 게시물을 올릴 기회가 있었으면 좋겠습니다.'

3. 약속된 것보다 더 많은 것을 해주세요. 협찬해 주면서 조건을 정확하게 명시하고 계약서도 작성하는 업체도 많습니다. 게시물 1회, 릴스 1회 이런 식의 정량적 조건이라면 여러분은 계약조건은 채워놓으시고, 게시물을 올린 후에 저자가 알려드린 방법으로 게시물에 트래픽을 부어서 상위노출을 시켜보세요. 약 5,000원이면 충분합니다. 그리고 해시태그로 상위노출된 상태를 읽어 들여서, 게시물 링크와 함께 DM으로 보내주세요. 업체에서 제시한 해시태그 이외에도 여러분이 상위노출이 될 만한 작은 키워드들을 몇 개 상위노출 시켰다면 업체에서도 놀라워할 겁니다. 저자가 이 책에서 알려드린 트래픽을 부어서 상위노출을 시키는 방법은 대부분 업체 대표나 내부 마케팅 담당자들은 모르는 방법입니다. 물론 이 책을

본 담당자라면 알 수도 있겠지만, 여러분이 굳이 트래픽을 부었단 것을 말할 필요는 없습니다. 상위노출을 만들어 주면 여러분 계정에 도움이 되는 것이기 때문에 결과론적으로는 나를 위해 돈을 쓴 것입니다.

4. 협찬해 준 업체에 감동을 주세요. 여러분들이 협찬받기 시작하면 이제 피드가 마치 광고판이 된 듯한 느낌이 들 것입니다. 이렇게 되면 팔로워도 잘 늘어나지 않고, 계정 운영 목적이 오로지 협찬과 돈을 벌기 위한 수단으로 전락한 듯한 느낌을 주게 됩니다. 그래서 협찬 광고 게시물과 일반 게시물의 비율을 적절하게 유지할 필요가 있고, 여러분이 여전히 내 돈내산으로 게시물을 올리고 있다는 것도 사람들이 알아야 합니다. 협찬받았던 제품을 한 번만 노출하지 말고 다른 게시물에 함께 노출되게 해보세요. 배경으로 활용해도 좋습니다. 그리고 게시물을 올릴 때 해시태그도 같이 달고, 사람 태그 기능을 사용해서 해당 업체 인스타그램에서도 여러분이 게시물을 또 올렸다는 것을 알게 해줍니다. 이미 계약조건은 달성했지만, 꾸준히 협찬받은 제품을 잘 사용하고 있고, 관심을 가지고 계속 홍보해 주고 있다는 것을 보여줄 필요가 있습니다. 이렇게 게시물을 올릴 때, 사람 태그 기능을 사용하면, 협찬해 주었던 업체의 인스타그램 계정에 자동으로 게시물 링크가 보내집니다. 그러면 여러분들은 DM으로 안부도 묻고, 협찬해 줬던 제품 여전히 잘 사용하고 있다고 주변에 홍보도 많이 하고 있다고 너스레라도 떨어보세요. (너무 구질구질하게 굴면 안 됩니다.) 이렇게 관계를 유지하면 나중에 새 제품이 나왔을 때, 혹은 업체에서 다시 한번 제품협찬을 하고 싶을 때 여러분을 먼저 찾게 될 것입니다. 여러분 저자가 알려드리는 방법이 협찬을 잘 받는 노하우라고 생각하시면 안 됩니다. 이건 기술을 알려드리는 게 아니라, 사람이 세상을 살아가는 방법, 인간과 인간의 관계를 발전시키는 방법, 너무나 당연한 사람 관계를 다시 한번 알려드리는 것입니다.

5. 원고료를 받을 때는 긴장해야 합니다. 여러분 계정이 협찬 제의받게 될 정도로 성장했다면, 어떤 업체는 단순히 제품협찬만 또 어떤 업체는 제품협찬과 원고료를 준다고 제안하기도 합니다. 또 다른 곳에서는 공동구매를 함께 추진해 보자고 연락이 오게 됩니다. 저자는 이 시기가 가장 위험한 상태라고 강조하고 싶습니다. '돈'이라는 것이 사람 사이에 끼어들면, 갑을 개념이 명확해집니다. 계약조건도 성실하게 지켜야 하고, 여러분의 말실수 하나로 업체에는 피해를 줄 수도 있기 때문입니다. 인플루언서는 연예인은 아니지만, 계약서를 쓰는 순간, 여러분은 홍보하는 제품에 책임을 져야 합니다. 원고료를 받기 위해 좋지 않은 제품을 좋다고 말해야 하고, 그로 인해 피해를 보는 팔로워들이 생깁니다. 여러분은 인스타그램 계정을 키워나가면서 사람들에게 신뢰를 쌓아왔기 때문에 팔로워가 늘어난 것입니다. 즉 여러분이 하는 말을 믿는 사람, 혹은 나중에 문제가 터지면 책임을 지라는 사람도 있다는 것입니다. 원고료를 먼저 요구해도 됩니다. 업체가 제안한 원고료보다 더 큰 비용을 요구해도 됩니다.

계약이 성사되면 어차피 서로 좋은 겁니다. '돈'이라는 관계를 맺고 기브앤테이크만 정확하게 한다면 아무 문제가 안 됩니다. 다만 업체에서는 원고료까지 냈으니 당연히 제품의 장점만 언급하라고 가이드라인을 정해두고 그대로 원고를 작성하기를 바랍니다. 이 조건을 수락하느냐 마느냐는 오로지 여러분이 결정해야 합니다. 내가 콘텐츠를 발행하는 것에 누군가의 입김이 닿는 것이 싫다면, 안 좋으면 별로라고 솔직하게 말하고 싶으면 해당 계약은 애초에 진행하지 않아도 됩니다. 혹은 리뷰용 제품을 먼저 받고, 아무 문제가 없다고 판단되면 그때 원고료를 받겠다고 해도 됩니다. 가이드라인을 거부해도 됩니다. 계약에 따라 책임 관계가 생기는 것이므로, 모든 사항을 항상 여러분께 유리하게 끌고 나가세요. 단, 돈을 받으면 그만큼 책임이 따른단 사실도 잊지 마시고요.

저자도 협찬받은 제품이 정말 별로였던 경우가 있습니다. 도저히 양심상 유튜브 채널이나 인스타그램에 홍보하고 싶은 마음이 전혀 생기지 않은 제품도 있었습니다. 그럴 땐 협찬을 해줬던 업체에 게시물을 못 올리겠다고 사유를 말하고, 제품을 반환하거나, 혹 음식이었다면, 제품값을 물어주고 계약을 취소하기도 했습니다. 해당 제품을 촬영하기 위해 제가 사용한 비용과 시간을 보상받지는 못하지만, 저자는 지금까지도 팔로워들에게 해가 될 만한 제품을 제 인스타그램이나 유튜브에 올린 적이 없습니다.

업체에서 협찬받는다는 것은, 공짜로 물건을 얻는 개념이 아닙니다. 업체에서는 인플루언서의 행동거지로 인해 브랜드 이미지에 타격도 입을 수 있고, 인플루언서로서는 업체 때문에 본인의 계정이 나락으로 갈 수 있다는 것을 분명하게 인지하고, 조금이라도 미심쩍은 부분이 있다면 단호하게 거절할 수 있어야 합니다. 욕망과 돈은 같은 단어가 아닙니다. 욕망은 끊임없이 추구해야 하는 인간의 본성이지만, 우리는 결과 돈에는 질질 끌려다녀서는 안 될 것입니다. 이미 돈 때문에 망해버린 수많은 셀럽과 연예인들의 사례를 통해 교훈을 얻었길 바랍니다.

사장님과 마케팅 담당자들께 당부합니다

저자가 앞서 인플루언서로서 협찬을 잘 받는 방법을 언급했습니다. 내용을 협찬해 주는 업체로서 꼭 읽어보고 이번 장과 비교해서 이해했으면 합니다. 앞서 언급한 관계 마케팅과 연결되는 부분이니 간략하게 정리해서 설명하겠습니다. 협찬 요청받았을 때는 인플루언서의 계정 상태를 면밀하게 검토해 보시고, YES or NO 중 하나만 결정하면 됩니다. 인플루언서는 계정을 더 키우고 원고료를 받는 수준까지 이르기 위해서 제품협찬 요청의 단계를 밟아나가게 됩니다. 그 과정에서 소비되는 협찬사가 되느냐 혹은 해당 인플루언서를 키워서 회사의 대외홍보요원으로 활용하는지는 업체의 활용 방안에 달려 있습니다. 저자는 이왕이면 서로 이득을 얻는 행복한 결과만 있었으면 좋겠지만, 단발성 홍보에 그치고, 기대한 만큼의 마케팅 효과를 얻지 못하는 사례를 너무 많이 봐왔기 때문에, 협찬해 주는 업체에서 이왕이면 가성비 좋은 인플루언서를 확보해서 브랜드를 키워가는 방법을 알려드릴까 합니다.

▶ 제품협찬은 신제품이 출시되었을 때, 대량의 콘텐츠로 인스타그램 해시태그를 도배하고 싶을 때, 제품 판매량이 저조할 시점에 진행하세요.

이는 업체가 원하는 해시태그의 트래픽을 끌어올리는 방법과 같습니다. 하나의 계정으로만 트래픽을 부어서는 대형 해시태그는 상위노출을 하기 어렵습니다. 따라서 업체 계정에서 올리는 게시물에도 트래픽을 부어주고, 제품협찬을 해준 계정에서 올라오는 게시물에도 트래픽을 부어주면 여러 계정에서 같은 해시태그로 상위노출로 도배할 수 있습니다. 다만, 이 방법을 사용하기 위해서는 반드시 시켜야 할 사항이 있습니다. 첫 번째는 제품협찬을 해주면서, 게시물에 포함할 해시태그를 정해두고 적어달라고 명시해야 합니다. 두 번째는 인플루언서가 게시물을 등록시킬 시점을 미리 서로 합의해서 정해두고, 인플루언서에게 게시물을 올리자마자 게시물 URL을 받아서 바로 트래픽을 부어주세요. 협찬을 동시에 여러 인플루언서에게 했다면, 한꺼번에 트래픽을 부어주기 힘드니 적어도 한 시간 이상의 기간을 주고, 각각의 인플루언서에게서 발행되는 게시물에 트래픽을 부어야 합니다. 게시물에 트래픽을 부어주는 것은 반드시 보유하고 있는 계정에만 할 수 있는 것은 아니며, URL만 알면 어떤 인스타그램 게시물이든 가능합니다. 다만, 게시물을 올리고 시간이 한참 지나면 효과가 떨어져서 트래픽을 부어주는 일이 무용지물이 됩니다. 반드시 인플루언서가 게시물을 발행한 다음 즉시 트래픽을 부어주세요.

▶ 과도한 가이드라인은 오히려 인플루언서의 개성을 망치게 됩니다. 꼭 필요하다면 해시태그만 정해야 합니다

저자가 제품협찬이든 원고료를 받든 절대로 하지 않는 협찬 제의 중 하나는 가이드라인을 정해주고 그대로 하길 요구하는 경우입니다. 저자는 마케팅 업무에 경험이 많으니, 업체의 마케팅 담당자, 혹은 대표가 인스타그램을 포함한 마케팅 방법을 잘 알고 있는지 아닌지 바로 알 수 있습니다. 심지어 글로벌 기업에서 협찬을 받았을 때도 과연 이 회사는 내부에 마케팅 부서가 있는지 의심이 들 정도로 이해가 되지 않는 가이드라인을 받았던 적도 있습니다. 이런 경우에 역제안해서 저자가 더 나은 방안을 제시하기도 했지만, 대부분 인플루언서는 가이드라인이 있는 경우에 마치 정답지를 받아서 그대로 베끼는 것처럼 자신의 개성은 쏙 빼두고, '나는 하라는 대로 다 했다.' 식의 게시물을 발행하게 됩니다. 10명의 인플루언서에게 협찬하면 그중에는 잘하는 사람도 있고 잘하지 못하는 사람도 있습니다. 그리고 굳이 단점을 언급하는 사람도 있긴 하겠지만, 팔이 안으로 굽는다고 대체로 단점은 말하지 않거나 에둘러서 표현합니다.

원고료를 받지 않아도 공짜로 제품을 받았으니, 리뷰를 잘 해줘야겠다는 심리가 적용된 것입니다.

▶ 반드시 계약서를 만들고, 날인받아 둬야 합니다.

인스타그램은 진짜 계정도 있고, 부계정도 있습니다. 얼마든지 개인정보를 숨기려면 숨길 수 있습니다. 제품을 보내줘야 한다면, 인플루언서의 주소와 연락처를 확보한다고 생각하겠지만 배송지가 과연 그 사람의 등록 소재지가 맞는지 알 수은 없습니다. 계약서를 쓰고자 하면, 협찬받지 않겠다는 인플루언서는 일단 걸어야 합니다. 다음에 불미스러운 일이 생기는 것을 방지하자는 차원이니 협찬해주는 입장에서는 반드시 계약서를 받아야 합니다.

매장 방문으로 서비스를 제공하는 업체라면 방문한 사람의 인스타그램 계정도 현장에서 확인한다는 것을 사전에 알려주고, 신분증 확인도 해야 합니다. 이외에도 본인확인이 필요한 정보를 확보해 주는 것이 좋습니다. 저자가 굳이 이런 것까지 이야기하는 것은 그만큼 업체를 대상으로 사기를 치는 인플루언서도 많다는 것을 알려주고 싶기 때문입니다. 계약서를 작성해야 한다는 조건 하나로만 인플루거지들을 많이 걸러낼 수 있습니다.

▶ 단발성 제품협찬보다는 이벤트를 꾸준히 기획하세요.

체리피커 속에서 찐 팔로워를 찾아내는 것은 어렵지 않습니다. 눈도장 많이 찍은 팔로워들을 이벤트 당첨자로 선정하면 됩니다. 계정을 건전하게 잘 키우면서 협찬받은 만큼 해주는 인스타그램 유저도 많습니다. 이벤트 상품에만 현혹되어 불나방처럼 모여드는 체리피커들, 이벤트 참여 전용 계정들도 여러분이 올린 게시물을 리그램하고 홍보해 주는 공짜 홍보요원이라고 생각하면 됩니다. 결국 노력하는 계정은 계속 잘 될 수밖에 없습니다. 저자도 이벤트에 자주 참여하는 편입니다. 그리고 당첨 여부와 상관없이 이벤트 기간이 끝나면 리그램 게시물은 지웁니다. 인스타그램 피드를 깨끗하게 유지하고 싶기 때문입니다. 요행을 바라는 심리는 누구에게나 있고, 이벤트 상품의 가치가 클수록 더 많은 사람이 꼬입니다. 그리고 당첨자 선정에 더 주의를 기울여야 합니다.

분명히 공정성 운운하는 사람들이 있기 마련입니다. 하지만 공정성을 기한다고 랜덤으로 뽑아버리면 1등 상품은 결국 엉뚱한 사람이 받아 가고, 여러분 제품의 사진은 인스타그램에 올라오지도 않습니다. 이벤트에 선정되었다는 사실을 자랑하고, 보내준 제품을 인스타그램에 올려줄 사람을 골라서 뽑는 건 공정성의 문제가 아닙니다. 이벤트 기획을 할 때 어떤 방식으로 선정한다는 것을 알려주면 아무 문제 없습니다. 이벤트 기간 동안 팔로워가 급속하게 올라갔다가 당첨자 발표일이 되면 팔로워가 떨어져 나가는 건 당연하게 받아들이세요. 원래 그런 겁니다.

▶ 앰배서더를 운영하세요. 가장 효과적인 인플루언서 운용 방법입니다.

명품브랜드만 앰배서더를 둘 수 있는 건 아니죠? 소상공인, 작은 브랜드일수록 단발성 인플루언서 협찬보다는 내 브랜드와 꾸준히 소통해 주고 도움을 받을 수 있는 앰배서더를 운영해 보는 것이 효율 면에서 좋습니다. 제품 수량이 적어도 상관없었습니다. 앰배서더를 모집한다는 이벤트를 인스타그램에서 검색해 보면 다양한 조건들을 볼 수 있습니다. 저자도 부산사이다 총괄브랜드 디렉터로 ㈜핑크로더와 협업하고 있을 때, 적은 비용으로 효율을 챙길 수 있는 마케팅 방안들을 다양하게 진행했었는데,

그중 하나가 앰배서더였습니다. 총 10명을 선정하여 1년간 월 1회씩 부산사이다 6병을 제공했고, 엠버서더들은 블로그와 인스타그램에 정해진 발행 횟수만큼 콘텐츠를 올리는 계약이었습니다.

앰배서더 1기가 끝나고 다시 2기를 준비하고 있는데, 1기가 블로그와 인스타그램에 콘텐츠를 올리는 것에 집중했다면 2기는 인스타그램을 위주로 진행하면 효과적이겠다고 생각이 들었습니다. 블로그는 쌓아두는 콘텐츠라서 이제 검색만 하면 얼마든지 리뷰를 볼 수 있을 만큼 발행량을 달성해 두었고, 부산사이다라는 키워드는 어차피 다른 업체에서는 사용하지 않는 고유어라서 키워드 상위노출 경쟁도 네이버에서 할 필요가 없어졌기 때문입니다. 인스타그램은 블로그보다 콘텐츠 제작이 쉬운 편이므로 발행량을 주 1회로 한다든지, 인스타그램을 도배하는 방법으로 전환하면 효율이 더 높아질 것으로 예상합니다.

앰배서더를 운영할 때는 고가의 제품을 제공하되 일정 기간 사용 후 돌려받는 조건을 두거나, 앰배서더 중에서 활발한 활동으로 브랜드에 도움이 되었다고 판단할 때는 몇 명을 선정해서 제품을 무상으로 제공하는 방법도 앰배서더가 적극적으로 콘텐츠를 만들게 되는 원동력이 될 수 있습니다.

비단 제품을 제조하는 업체가 아니어도 됩니다. 만약 식당을 운영하고 있다면, 월 1회 정도로 다양한 메뉴를 무상으로 제공하면서 6개월~ 12개월 정도로 기수별 운영도 할 수 있고, 콘텐츠는 앰배서더를 운영하는 업체에서 원하는 플랫폼에 콘텐츠를 쌓을 수 있도록, 블로그+인스타그램, 유튜브+인스타그램 이런 조건을 내걸면 됩니다.

앰배서더를 운영하면서 비용까지 지급하는 예도 없진 않지만, 대체로 현물 성 대가를 지급합니다. 그리고 콘텐츠 발행은 앰배서더의 계정에도 올리지만, 홍보용으로 업체에서 직접 사용할 수도 있으므로, 계약상에 사진과 영상을 받는 조건을 추가하기도 합니다.

▶ 관계 마케팅의 핵심은 홍보가 아니라, 소통이 목적이어야 해요

여러분이 관계 마케팅을 하면서 궁극적으로 얻어내야 하는 건 그들이 유명세로 발행되는 콘텐츠의 정량적인 수치가 아닙니다. 여러분이 할 일을 대신해 주고 있는 또 하나의 마케팅팀이라고 생각한다면, 월급을 주는 대신 제품과 원고료를 주는 것이고, 그 대가로 여러분이 직접 해야 할 홍보를 해주는 것입니다.

분명 기브앤테이크의 관계지만, 제품에 대한 솔직한 피드백, 단점이 있다면 개선할 수 있는 아이디어, 단점이지만 구매자가 받아들이는 부정적인 느낌을 줄이는 아이디어 등 실제 구매 고객에게서 들을 수 없는 알짜 후기를 가감 없이 들을 수 있습니다.

굳이 만나서 들어볼 필요도 없습니다. 가끔 인스타그램 DM으로 대화하면서 관계를 유지하면 됩니다. 그중에 좋은 아이디를 제공하고 여러분의 브랜드를 적극적으로 홍보해 주고, 팬으로 가까워지는 인플루언서가 있다면, 이제는 인플루언서가 아닌 적정 비용을 내고 회사의 전속 앰배서더로 활동하게 해도 됩니다.

인플루언서는 원래의 말뜻과는 다르게 요즘은 협찬을 잘 받는 인스타그램 유저 정도로 인식됩니다. 하지만 앰배서더는 운영하는 입장에서도 브랜드가 커지는 느낌이 들고, 앰배서더가 된 입장에서도 자신이 인스타그램에서 미치는 영향이 큰 것처럼 느껴집니다. 돈으로 살 수 없으니 어찌보면 선택받은 소수라는 자긍심도 들 것이고 명예로운 활동이라고 보는 것이 맞겠지요.

인간은 누구나 대접받는 것을 좋아합니다. 명예욕이 있습니다. 결국 욕망입니다. 돈 이야기는 저급하다는 생각을 깔고 있지만, 돈 싫어하는 사람은 없습니다. 돈은 욕망의 대상은 아니지만, 욕망을 해소하는 데 도움을 줍니다. 돈으로 살 수 없는 것이 명예입니다. 여러분의 브랜드를 대신해서 홍보해 줄 사람들을 명예로운 앰배서더로 만들고 추켜세우고 이야기를 들어주세요. 어렵지 않습니다. 하지만 그 효과는 돈으로 사는 것보다 몇백 배는 좋을 겁니다.

7일 차
알아두면 좋은 것들

요즘 유행하는 지식정보를 제공하는 인플루언서들의 실체

현재 인스타그램에서 조회수가 많고, 급성장하는 계정은 대체로 "돈"을 주제로 다룹니다. 지식창업, 무자본 창업, 월 1,000만 원 벌기, 부업 등 육체적인 노동 없이 스마트폰이나 노트북 하나로 돈을 번다는 콘셉트를 가진 계정이 급격하게 많아졌고, 급성장하는 모습도 쉽게 볼 수 있습니다.

우리나라 사람들은 돈을 직접적으로 언급하는 것을 굉장히 꺼리는 성향이 있습니다. 그런데 요즘은 고정관념을 깨고 직접적으로 돈을 언급하는 콘텐츠를 만들고 돈을 주제로 계정을 운영하는 사례가 많아졌습니다.

만약 이 책을 읽고 있는 독자 중에서 지식창업에 관심이 있다면, 인스타그램이나 유튜브에서 관련 키워드로 찾아보고 이미 먼저 하는 사람들이 만들어 내는 콘텐츠를 그대로 여러분이 따라 해서 콘텐츠를 만들고 섬네일이나 제목까지 똑같이 만들어 여러분의 계정에 올려도 계정의 팔로워 수는 폭발적으로 늘어나게 될 것입니다.

이런 방법이 법적으로 문제가 되지는 않습니다. 스스로 느끼는 양심적인 가책만 있을 뿐이죠. 여러분들이 그들의 콘텐츠를 보고 그대로 벤치마킹해서 콘텐츠를 또 만드는 방식은 이미 그들도 하고 있습니다. 어떤 콘텐츠를 베끼느냐고요? 해외에서 찾습니다. 아직 한글화되지 않았고, 언어적 장벽 때문에 우리나라 사람들이 잘 모르는 콘텐츠가 외국에는 널려있습니다. 그리고 유튜브는 번역도 잘 되고, 화면을 보면서 번역 글을 맞춰보면 대략 내용을 알 수 있고 쉽게 따라서 해볼 수 있습니다.

결국은 정보의 격차로 돈을 벌고 있는 사람들이 요즘 인스타그램과 유튜브에서 유행하는 지식창업의 내면입니다. 물론 그 안에서도 자신만의 콘텐츠를 만들어 내는 사람도 있지만 저자가 살펴본 몇몇 케이스는 해외콘텐츠를 한국 사람이 나와서 한국말과 한글로 다시 한번 만든 것들이 90% 이상이었습니다.

만일 여러분이 인스타그램 계정 운영의 콘셉트를 "돈 버는 법"을 알려주는 것으로 선정했다면 저자가 이제껏 언급한 방식으로 운영해 보세요. 그럼, 금방 계정을 키우고 팔로워도 급격하게 늘어날 것입니다.

그런데 여기까지 이르게 되면 인스타그램을 키워서 돈은 어떻게 벌까? 라는 생각을 하게 됩니다. 정보를 먼저 내어주고, 좋은 사람이 된 다음, 사람들을 모으고, 모은 사람들에게 더 좋은 양질의 정보를 제공한다고 합니다. 그게 바로 전자책이고 강의이고, 컨설팅입니다.

남의 콘텐츠를 보고 내 콘텐츠를 만드는 게 도덕적으로 문제가 있는지의 문제는 얼마나 독창성을 가미했는가에 따라 다른 이야기가 됩니다. 남의 창작물을 그대로 베끼는 행위와 남의 콘텐츠를 보고 내가 공부한 다음 다른 해석이나 더 쉬운 방식으로 설명했다면 새로운 콘텐츠를 만든 것입니다.

학교에서 학생들을 가르치는 선생님들과 같죠.

문제가 되는 건, 내재화 없이 그대로 베끼는 행위이고 마치 자신이 처음인 양 개발한 것인 양 사람들을 기만하는 것이 나쁜 행위입니다.

지금까지 이야기를 정리하자면, 최종적으로 어떤 방식으로 돈을 벌 것이냐를 정해서 계정을 시작하고 운영해야 한다는 것입니다. 만약 사람들이 별로 관심이 없는 주제를 선택했다면 아쉽게도 최종 종착지인 전자책 판매나 강의수익은 발생하지 않습니다.

돈과 직접적으로 관련된 주제를 선정하면 그만큼 여러분들도 공부해야 합니다. 자연스럽게 지식과 경험이 쌓이게 되면, 그것이 부업이든 주식이든 경매든 부동산투자이든 전혀 상관없습니다.

어설픈 지식으로 지식창업을 시작하면, 금세 사람들을 알게 됩니다. 그러면 당연히 수익으로 연결하려는 시도들이 제대로 되지 않을 테고요.

자! 인플루언서가 되어서 돈을 벌고자 하는 분들은 이어서 저자가 본격적으로 하고 싶은 이야기를 주의 깊게 들어주시기를 바랍니다.

인플루언서 계정을 하겠다면, 처음부터 돈을 벌어야 합니다.

인스타그램에서 인플루언서들은 연예인을 제외하고는 어떤 직업을 가졌는지 수익은 무엇인지 알기가 어렵습니다. 하지만 늘 화려한 사진이 올라오고 인플루언서들끼리 어울리며 그들만의 세상에서 사는 듯한 부러움의 대상이 되기도 합니다.

기업의 협찬도 받고, 브랜디드 광고에 나오기도 하고, 각종 행사에 초대받고, 최신 제품을 먼저 써보고, 해외여행도 자주 다닙니다.

위에서 언급한 모두가 인플루언서들의 매출이 됩니다. 규모에 따라서 누군가는 현물협찬만 받기도 하고, 누군가는 콘텐츠를 만들어 주는 혹은 브랜드를 대신해서 노출해 주기만 하고 돈을 받습니다. 요즘은 뒷광고 논란 때문에 아예 협찬받았다. 광고비를 받았다는 사실을 당당하게 언급합니다. 또 그것이 해당 인플루언서들의 영향력과 권력의 상징이 되기도 합니다. 내돈내산 하고서도 협찬이라고 해시태그를 붙이는 인플루언서도 있으니 참 웃픈 현실입니다.

저자는 캠핑이라는 취미를 가지고 있고 자연스럽게 인스타그램에서는 캠핑 인플루언서가 되었고, 유튜버 중에서도 캠핑용품리뷰를 전문으로 하는 캠핑 유튜버로 활동하고 있습니다. 시작은 유튜브로 했으나 현재는 팔로워와 구독자가 비슷한 수준입니다.

이미 이 책을 구매한 독자들이면 어느 정도 저자의 뒷조사를 했을 겁니다. 2024년 2월 기준 인스타그램, 유튜브 둘 다 1만도 안되는 수준이지만, 제품협찬을 자주 받고, 해당 영상이나 사진도 자주 올립니다. 제 주변의 유튜버나 인플루언서들도 어떻게 해서 10만 이상이 되어야 할 수 있는 일들을 해내는지 궁금해합니다. 독자 여러분들도 그 부분이 궁금할 겁니다. 그렇죠? 지금 당장 인스타그램에서 @papas_camping 계정을 살펴보세요. 유튜브에서 '파파스캠핑'을 검색해서 어떤 콘텐츠를 올리고 수익을 얻고 있는지 살펴보세요.

숨겨진 비밀은 없습니다. 평소에도 저자는 어떻게 수익을 얻고 있는지 사람들에게 종종 말하곤 합니다. 심지어는 유료로 운영하는 클래스의 참가자들에게도 방법을 모두 이야기합니다.

결국은 원론적으로 돌아가서, 실천하느냐 마느냐의 이야기로 끝나버리니 누군가는 돈을 벌고 누군가에게는 사기꾼의 이야기로 들리는 것이라고 봅니다.

유튜브, 인스타그램의 각종 돈 번다고 하는 광고들 일부는 사기일 수도 있고, 일부는 강의한다는 해당 인플루언서에게만 해당하는 방법일 수도 있습니다.

다만 돈을 버는 과정에서 본인의 노력이 아닌 어떤 외부의 결정에 의한 허들이 존재한다면 당장 돈을 벌 수가 없습니다. 예로 들자면 유튜브는 수익화 조건에 해당하는 일정한 수의 구독자와 총시청 시간이 허들이 될 것이고, 네이버 블로그 역시 광고 수익을 받기 위한 조건을 채워야 합니다. 한때 유행했었고 지금도 희망 고문을 당하고 있는 돈 버는 방법 중에는 워드프레스로 블로그를 만들고, 자동 AI 글쓰기로 블로그를 써서 광고수익을 얻는 구글 애드포스트도 있습니다.

돈 버는 강의를 하는 사람도 각 플랫폼에서 제시하는 허들만큼은 어떻게 해줄 수가 없습니다. 결국은 누군가는 운 좋게 허들을 넘고 누군가는 수십 번을 시도해도 플랫폼의 허락을 받지 못하기도 합니다. 이런 방법에 다들 희망 고문을 당하고 있는 것이 이 바닥의 현실입니다.

인스타그램의 추천 알고리즘

인스타그램 계정의 레벨이 높다는 것은 꾸준히 좋은 콘텐츠를 계속해서 공유하고, 내 콘텐츠를 좋아하는 팔로워를 늘리며, 영향력을 높인다는 것을 말합니다. 사람들이 좋아하는 게시물은 우선 내 팔로워들에게 좋은 피드백을 받게 되면 1차 검증 단계가 끝납니다. 그 후 인스타그램 알고리즘은 좋은 콘텐츠를 해당 계정의 팔로워 이외에 다른 유저들에게도 노출합니다. 2차 검증 단계에 해당합니다. 그 후에는 해시태그 영역에서 인기 게시물이 되어 상위 노출됩니다. 상위 노출된 게시물은 검색의 결과로 사람들에게 노출되고 내 계정의 팔로워가 늘어나는 선순환의 결과를 가져옵니다. 이를 간단하게 도식화하면 다음과 같습니다.

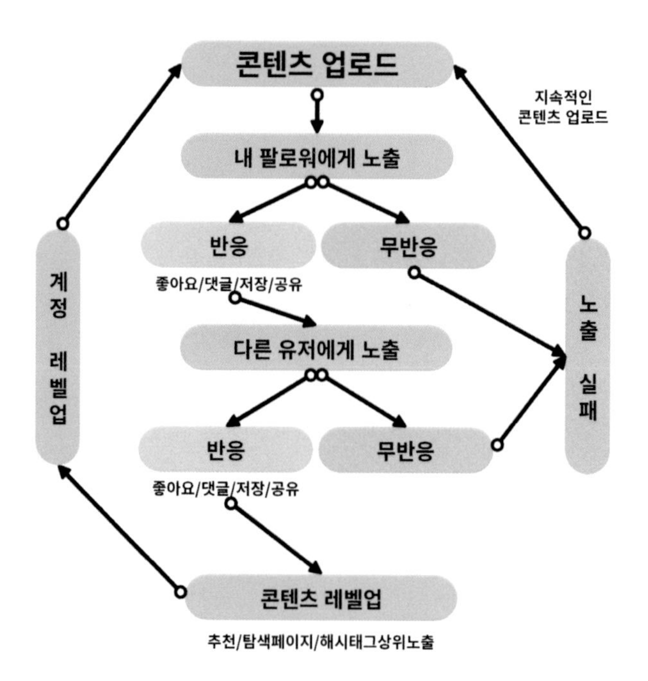

인스타그램 계정에 올리는 콘텐츠 하나하나가 내 팔로워 > 다른 유저 > 또 다른 유저를 거치며 검증 과정을 거치게 됩니다. 결국 알고리즘은 우리가 올린 콘텐츠 자체의 내용을 파악하여 좋은 콘텐츠인지 구별하지 않는다는 의미입니다.

다른 유저들의 판단, 즉 집단지성의 관점에서 게시물 하나하나를 평가하게 되는데, 이때 중요한 것은 다음과 같습니다.

- 콘텐츠를 게시하는 시간 - 사람들이 활동하는 시간에 콘텐츠를 게시해야 합니다. "연희동 꼭 가봐야 할 맛집 베스트 5" 같은 주제의 콘텐츠를 새벽 4시에 올리면 누가 볼까요? 내가 올린 콘텐츠에 팔로워들이 즉시 반응해 주는 시간을 고려하는 게 무엇보다 중요합니다.

- 콘텐츠의 시의성 - 온라인에 올라오는 기사, 뉴스 등에 적절하게 대응하는 콘텐츠를 만드는 것도 효과적입니다. 이미 지나간 이슈, 계절에 맞지 않는 콘텐츠는 사람들의 관심이 낮을 수밖에 없습니다.

- **다른 사람이 좋아한 콘텐츠인가?** - 사람들은 다른 사람의 평가를 보고 어떤 행동을 취합니다. 인간의 집단성 때문인데 '좋아요'가 많은 콘텐츠가 더 많은 '좋아요'를 받습니다.

- **원하는 바는 직접 말하기** - 유튜버들을 보면 타이밍을 잘 고려해서 '좋아요' 구독을 줄기차게 말합니다. 처음에는 어색해서 잘하지 못하더라도 결국은 익숙해져서 원하는 바를 직접 말할 수 있습니다. 여러분이 '좋아요', 팔로우, 저장, 공유를 원한다면, 콘텐츠 사이에 직접 글로 넣어주세요. 혹은 영상으로 직접 요구해도 좋습니다.

- **댓글을 원할 때는 물어보는 어투를 사용하세요** - 여러분들의 게시물

을 보는 사람들에게 질문을 하거나 동의를 구하거나 공감을 원하는 어투로 글을 쓰세요. 대화하는 느낌을 주는 콘텐츠는 댓글 반응이 생깁니다. 반대로 댓글이 없는 콘텐츠는 답정너인 경우나, 내가 할 말만 하고 끝나는 느낌을 줍니다. SNS는 콘텐츠를 매개로 하는 사람 간의 연결 도구입니다. 늘 대화의 자세로 콘텐츠를 만드는 데 익숙해져야 합니다.

- **적절한 해시태그의 사용** - 해시태그는 인스타그램에서 단어별로 콘텐츠를 묶어주고 검색을 쉽게 해주는 단어입니다. 사람들이 자주 사용하는 해시태그는 당연히 인기가 높고, 해당 해시태그의 검색 결과에 딸려 나오는 콘텐츠의 양은 어마어마합니다. 인기 해시태그라고 부르는데, 인기 해시태그에서도 검색 결과에서 위쪽에 노출되는 게시물들을 상위노출 게시물이라고 부릅니다.

콘텐츠를 하나 발행하면 안에 주제를 여러 개 담을 수는 없습니다. 그래서 해시태그를 사용할 때는 꼭 필요한 것만 사용해야 합니다. 최대 30개까지 사용할 수 있지만, 해시태그가 많을수록 콘텐츠의 주제가 흐려지게 됩니다.

해시태그는 레벨업 개념에서 중요한 포지션을 차지하므로 별도로, 이번 챕터에서 따로 자세히 설명하도록 하겠습니다.

인스타그램 추천 알고리즘 도식을 보면 '좋아요', 댓글, 공유, 저장의 횟수를 수치화하는 것을 알 수 있는데, 이는 게시물 하나에 적용되는 수치이지만, 피드백을 많이 받는 게시물을 꾸준히 올리는 계정은, 좋은 콘텐츠를 발행하는 인스타그램에서 중요한 유저라는 기록이 남게 됩니다.

이런 계정은 발견하면 차단하세요

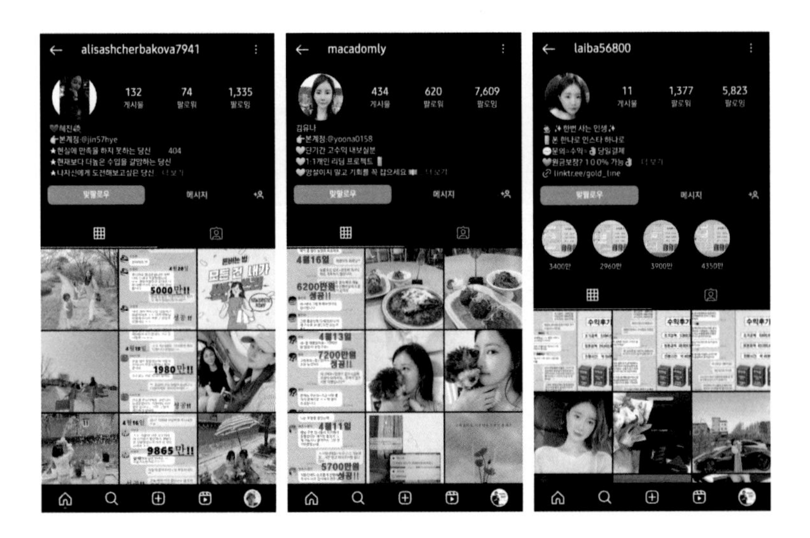

인스타그램을 하면서 무조건 팔로잉부터 하고 보는 이런 계정들이 있으면 반드시 팔로워 목록을 확인하고 삭제하십시오. 프로필 영역 꽉 채워두고, 피드도 가로나 세로줄 맞추기 형식으로 깔끔하게 보이지만, 모두 사기 계정입니다.

인스타그램에는 특정인 사칭, 부업, 광고 홍보 대행, 온갖 사기꾼들이 판을 치는 곳입니다. 얼굴도 공개하고 통장 사진도 있고 카톡 인증샷도 있지만 모두 조작된 이미지이며 누군가를 도용한 사진입니다. 여러분이 직접적인 피해 사실이 없어서 경찰에 신고는 할 수 없으나, 여러분을 팔로우하는 저런 계정들은 보이는 즉시 바퀴벌레를 박멸한다는 생각으로 다 삭제하십시오. 혹 저런 팔로워를 둬도 팔로우 숫자가 유지되니 좋은 거 아니냐 반문할 수 있지만, 저런 사기 계정은 대부분 유령 계정이며, 여러분들을 팔로우하지만 절대로 여러분들이 올린 게시물에 어떠한 반응도 피드백도 하지 않습니다.
중요한 부분이니 조금 더 상세하게 설명하겠습니다. 인스타그램에서는 하나의 게시물이 등록되면 다양한 피드백의 수치를 기록하게 됩니다. 게시물 하나에는 본 횟수, 영상이라면 재생한 횟수, '좋아요'를 받은 횟수, 공유된 횟수, 저장된 횟수 이를 종합적으로 수치화해서 해당 게시물이 좋은 정보인지 쓰레기 정보인지를 판별합니다. 당연히 여러분이 올린 게시물은 누군가가 직접 검수하지는 않습니다. 다른 사람들의 반응을 알고리즘이 확인만 할 뿐입니다.

그래서 종합 점수가 높다면 좋은 게시물로 판정받고 더 많은 사람에게 노출될 기회를 줍니다. 반대였으면 그냥 사장되어 버립니다. 그래서 게시물을 올린 초기에 많은 트래픽을 받아야 합니다. 인기차트 역주행과 같은 일은 거의 발생하지 않습니다. 인스타그램은 검색 기반 플랫폼은 아니기 때문입니다.

인스타그램 부업 계정들은 그냥 무작정 아무 계정이나 팔로우합니다. 기계적으로 팔로우하기도 하고 전문 프로그램으로 자동 팔로우하기도 합니다. 그냥 아무나 집적거리는 것과 같습니다. 이런 계정들이 만약 내 팔로워 숫자의 50%라고 가정해 보겠습니다. 일반적으로 내가 올린 게시물에 '좋아요'를 눌러주는 내 팔로워의 수는 10% 정도라고 합니다. 그런데 여기서 유령 계정이나 다름없는 부업 계정들이 열심히 내가 올린 게시물에 피드백하지는 않습니다. 아예 신경도 안 쓰고 있다고 하는 편이 맞습니다. 그러면 10% 중에서 5%의 '좋아요'만 나온다고 볼 수 있습니다.

이런 상황에서 알고리즘은 **"응? 팔로워가 1,000명이나 되는데, 50명밖에 '좋아요'를 못 받았다고, 공유도 없네? 저장도 없네? 아.... 이번에 올린 게시물은 자기 팔로워들에게도 인기가 없구나…. 그럼 다른 사람들에게도 마찬가지겠네?"** 이런 결론에 도달하게 됩니다. 반복될수록 아무리 여러분이 멋진 사진과 좋은 정보를 올려도 결국 여러분의 계정은 점점 죽어가게 됩니다.

그래서 눈팅만 하는 계정, 특히 부업 계정, 사기 계정, 프로필 사진도 없는 계정, 게시물이 거의 없는 계정, 팔로잉 수에 비해서 팔로워 수가 지나치게 많은 계정 등 거의 활동성이 없는 계정들과는 관계를 맺으면 안 됩니다.

저자의 계정도 하루 최소 10개의 부업 계정 팔로워가 생깁니다. 언뜻 보면 전체 팔로워 수가 점차 늘어나는 것처럼 보이지만, 암세포가 자라난다고 생각하십시오.

그래서 저자는 하루에 한 번은 무조건 전체 팔로워를 눌러보고 부업 계정은 무조건 삭제합니다. 하루에 10개지만 한 달만 방치하면 300개가 됩니다. 특히 여러분이 쓸데없이 적는 #맞팔 #선팔 #친구 이런 단어를 사용하면, 부업 계정은 더 많이 불어납니다. 나를 팔로우하는 계정을 주기적으로 정리해 주면 팔로워 수는 줄어들겠지만, 내가 올리는 게시물은 소위 '진성계정'들의 피드백 위주로 채워지게 됩니다.

사기 계정 비공개 계정 게시물이 없는 계정

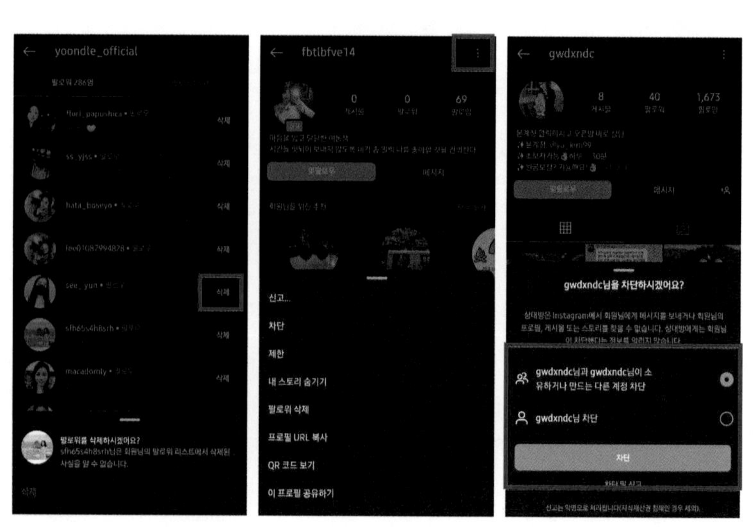

위 이미지처럼 내 팔로워 리스트에서 나를 팔로워 하는 계정들을 눌러서 프로필 페이지를 확인한 다음, 오른쪽 위의 점 세 개 버튼을 눌러 나타

나는 팝업창에서 신고/ 차단 / 제한 / 숨기기 / 삭제 등의 기능으로 관계를 정리하면 됩니다. 저자의 경우에는 그냥 팔로우 리스트에서 섬네일이 없거나, 미심쩍은 계정은 바로 삭제 버튼을 눌러서 지우고 있습니다.

좀 귀찮은데, 내버려 두면 여름날 잡초처럼 무성히 자라나 있을 겁니다. 보이는 대로 잡초 제거를 하시면 여러분의 인스타그램 계정은 청정지대가 되어 있을 겁니다. 반대로 여러분이 운영하는 인스타그램 계정도 위와 같은 사유로 누군가에게 차단당할 수 있습니다. 반드시 프로필 영역을 꼼꼼하게 채워 넣고, 단순히 팔로워 수에 집착해서 무작정 팔로잉부터 하는 등 비정상적인 수치들이 보이지 않도록 주의하시기를 바랍니다.

첫 번째 사진에서 모든 것이 결정된다

인스타그램에 게시물을 올릴 때 첫 번째 사진을 신중하게 결정해야 하는 이유는 다음과 같이 정리할 수 있습니다.

- **노출 우선순위에 영향을 줍니다** : 인스타그램에서는 게시물의 첫 번째 사진을 중심으로 노출 우선순위를 결정합니다. 따라서 첫 번째 사진이 눈에 띄고 흥미로워야 더 많은 사용자에게 노출될 가능성이 커집니다.

- **섬네일로 사용됩니다** : 인스타그램에서는 게시물의 첫 번째 사진을 섬네일로 사용합니다. 따라서 첫 번째 사진이 눈에 띄고 흥미로워야 사용자들이 게시물을 클릭하고 상세 내용을 확인할 가능성이 커집니다.

- **인상적인 이미지를 줄 수가 있습니다** : 첫 번째 사진이 인상적이고 흥미로운 이미지일수록 사용자들의 관심을 끌어들일 수 있습니다. 이는 게시물의 상호작용 수치를 높일 수 있으며, 계정의 인기도와 영향력을 높일 수 있습니다.

- **브랜드 이미지를 높일 수 있습니다** : 첫 번째 사진은 브랜드 이미지를 전달하는 데 중요한 역할을 합니다. 브랜드의 콘셉트와 이미지를 잘 반영한 이미지를 첫 번째 사진으로 사용하면, 브랜드 인식도를 높일 수 있습니다.

- **시각적인 조화로 피드를 구성합니다** : 첫 번째 사진은 게시물의 시각적인 조화를 결정하는 데 중요한 역할을 합니다. 첫 번째 사진과 다른 사진들이 시각적으로 조화를 이루면, 게시물의 완성도와 전체적으

로 통일된 무드를 만들 수 있습니다.

인스타그램에 콘텐츠를 올릴 때, 릴스, 스토리는 각 1개의 콘텐츠만 올릴 수 있습니다. 반면 게시물을 올릴 때 사진을 최대 10개까지(동영상 포함) 한 번에 올릴 수 있습니다. 여러분의 게시물을 다른 사용자가 자신의 홈 피드에서 스크롤 해보면서 우연히 발견할 때도, 직접 여러분의 프로필을 방문해서 피드에 있는 게시물을 볼 때도 10장의 사진 중에서 첫 번째 사진만 보게 됩니다.

즉, 유튜브나 블로그에서 혹은 인터넷으로 쇼핑할 때처럼 처음 보는 이미지 섬네일과 같은 역할을 합니다. 인간은 정보를 파악할 때, 명암 > 색 > 형태 > 이미지(사진) > 텍스트 순으로 인지하게 됩니다. 인간의 발달 순서와 비슷한 과정을 거치게 되지만, 아주 빠른 찰나에 인지하고, 시각 정보를 뇌에서 분석할 때 텍스트는 뒷순위로 밀리게 됩니다.

이미지나 사진을 보고 즉시 이해가 된다면, 텍스트를 굳이 읽을 이유가 없습니다. 그런 목적으로 만든 대표적인 디자인이 아이콘입니다. 사진에서도 상황이 잘 표현되어 있다면 이해하기 편합니다. 다른 플랫폼과 다르게 인스타그램에서는 한 개의 콘텐츠를 등록할 때, 게시물/릴스/스토리 모두 제목을 입력하는 부분이 없습니다. SNS 플랫폼의 특징이라고 할 수 있습니다. 트위터, 페이스북도 제목 영역이 없습니다. 보통 제목을 넣어야 하는 콘텐츠는 문서의 형식을 취합니다. 즉 콘텐츠 기반이 텍스트라는 것이지요. 그리고 해당 문서는 웹상에 존재하므로 웹 문서라고 부르며 검색엔진(네이버, 구글)에서 검색의 결과로 나오게 됩니다.

사람들이 어떤 목적으로 문서를 만들었는지 의도는 문서의 제목에 있습니다. 그리고 문서의 본문에 글자로 내용을 더 상세하게 적어둡니다. 글로 이해가 안 되거나 설명하기 어려운 부분은 이미지, 사진, 도표, 표, 그래프, 동영상, 움짤(움직이는 GIF 파일) 등을 사용하여 문서의 내용을 읽는 사람이 이해하기 편하게 만듭니다. 여기까지는 일반적인 문서, 더 나아가서는 멀티미디어가 적용된 웹 문서의 개념입니다.

인스타그램은 위와 같은 복잡한 형태의 문서구조를 버렸습니다. 텍스트보다 즉각적인 인지가 가능한 이미지와 사진이 1순위이고, 글자는 2순위입니다. 인스타그램을 사용하는 유저들은 인스타그램을 한 번 켜면 수십 장의 게시물을 만납니다. 한 1분 정도 스크롤만으로 훑어본다면 수백 개의 게시물이 스쳐 지나가게 됩니다. 이런 상황에서 게시물에 함께 등록된 텍스트를 읽을 수는 없습니다.

그래서 다른 사람의 눈길을 잡아끄는 첫 번째 사진 한 장이 인스타그램에서는 매우 중요합니다. 제아무리 중요한 내용이 있어도 어마어마한 글을 적어놨어도 결국 첫 번째 사진 한 장이 매력이 없으면 클릭하지 않는다는 것입니다.

이것이 인스타그램에 게시물을 올릴 때 첫 번째 사진은 어떤 것을 선택해야 할지 심사숙고해야 하는 가장 중요한 이유입니다. 다른 유저들에게 간택당하기 위해서는 어떤 사진을 올려야 될까요?

두괄식 : 결론에 해당하는 사진이 첫 번째

미괄식, 두괄식 많이 들어보셨을 겁니다. 한국어 어순의 특성상 우리는 대부분 가장 중요한 것을 제일 마지막에 말하는 경향이 있습니다. 사람 간에 대화할 때도 '결론부터 말해!' 하는 말을 자주 듣는 사람이 있습니다. 결론을 말하기 위해 너무 장황한 상황을 늘어놓으면 끝까지 집중하기 어렵습니다. 얼굴을 마주 보는 대화에서도 결론을 먼저 듣고 싶어 하는데, 인스타그램에서는 수많은 게시글이 서로 봐달라고 아우성치는데, 전부 다 볼 수는 없으니 스크롤 하며 관심이 가는 첫 번째 사진을 눌러서 나머지 사진과 글을 보게 됩니다. 기대한 내용이 아니라면 즉시 되돌아 나오게 됩니다. 검색했을 때도 마찬가지입니다.

- 정보성 콘텐츠 - 첫 이미지는 사진에 글자를 넣어서 어떤 내용인지 표기
- 리뷰성 콘텐츠 - 제품이나 장소를 한눈에 보여주는 전체샷 사진
- 감성 콘텐츠 - 색감 보정 필수
- 음식 콘텐츠 - 위에서 수직으로 찍은 항공샷
- 카페 콘텐츠 - 신체 일부가 포함된 커피잔 사진

이런 콘텐츠들은 전부 사진을 잘 찍어야 '좋아요'와 팔로워가 늘어나는 것만은 아닙니다. 이때까지 저자가 언급한 내용들을 종합했을 때, 사진은 인스타그램에서 중요한 요소이지만 전부는 아니라는 것입니다. 사진 기반의 플랫폼이라는 특징 때문에 사진을 잘 찍으면 좋다는 것입니다. 이왕이면 다홍치마라고나 할까요?

저자가 확인한 몇몇 인스타그램 관련 강의를 보면 사진 찍는 방법과 보정 앱을 사용하여 편집하는 방법을 알려주는데, 마치 인스타그램 팔로워 떡상 노하우를 알려주는 강의라고 포장된 경우를 보았습니다. 사진을 잘

찍고 싶다면 전문 포토그래퍼의 사진 강의를 참고해야 하는 게 아닌가 싶습니다.

사례별로 사진을 잘 찍는 방법을 설명하려면 끝이 없을 테지만, 이해가 편하도록 간략한 설명을 하겠습니다.

유명한 코스요리집을 방문했다고 가정해보겠습니다. 이 게시물의 목적이 단순히 자랑하고 싶은 건지, 여러분이 음식 협찬받고 방문하여 콘텐츠를 올려줘야 되는 상황인지는 중요하지 않습니다. 어차피 목적은 '좋아요'를 많이 받기 위한 첫 번째 관문인, 많은 사람이 보게 만드는 일입니다.

코스요리, 요즘 유행하는 오마카세 음식점을 가보시면, 코스에 나오는 모든 요리 하나하나가 전부 인스타그래머블(인스타각) 합니다. 음식점을 창업하는 컨설팅을 받을 때도 맛은 기본이고 사진찍기에 좋은 메뉴를 개발하라고 하니까요.

예쁜 그릇에 담겨나오는 요리를 항공샷이든, 쿼터뷰 어떤 각도로 찍어도 상관없습니다. 요즘 스마트폰은 근접촬영일 경우 어지간한 카메라보다 사진이 잘 나옵니다. 음식 촬영 전용 모드도 있습니다. 배경을 좀 날리고 싶다면 3배 줌을 해두고 조금 멀리서 찍으면 됩니다. 이런 내용은 유튜브에 찾아보면 아주 상세하게 설명해주는 강의가 많으니 공부하시기 바랍니다.

코스에 나오는 요리들을 촬영하다 보면, 개별 사진은 있는데, 한꺼번에 찍은 사진은 없을 겁니다. 텀을 주고 나오지, 한정식처럼 처음에 좌르륵 한상차림으로 나오진 않을 테니까요. 그래서 코스요리 음식점의 인스타그램 사진을 보면 올린 계정이 광고대행사인지 일반인인지 인플루언서인지 대부분 알아챌 수 있습니다.

광고대행사에서 촬영한 경우라면, 음식을 먹는 것이 목적이 아니라 촬영이 목적이므로 '이렇게 푸짐하게 많이 나온다' 콘셉트의 사진이 필요합니다. 따라서 한 상 가득 차려놓고 찍은 사진과 개별 음식 사진이 있습니다.

인플루언서가 촬영한 경우라면, 음식 사진도 있지만 배경과 인물 위주로 찍은 사진이 대부분입니다. 자신의 팔로워들이 다른 인스타그램 콘텐츠와 구별해서 인식하도록 하기 위함입니다. 음식을 먹는 모습보다는 보여주는 사진이 많습니다.

일반인이 촬영한 경우라면, 먹다가 찍은 사진이 많습니다. 음식점에 방문한 목적은 먹기 위함이었고, 처음에 나온 음식들은 사진을 찍다가 중간 정도 넘어가면 촬영해야 하는 사실도 잊어버립니다. 그래서 먹다가 찍은 사진들이 보입니다. 그리고 한 번에 찍은 사진은 절대 없습니다. 아마 다 먹고 빈 접시들 인증샷은 찍었을 겁니다.

같은 장소에서 같은 피사체를 찍더라도 콘텐츠를 만드는 목적이 모두 다릅니다.

광고용 콘텐츠였다면, 모든 메뉴가 다 등장한 사진이 첫 번째 사진이 되고, 음식보다는 여기가 어디인지가 중요하므로 사진에 글을 넣어 디자인한 이미지를 첫 번째 사진으로 사용합니다.

인플루언서의 협찬 혹은 자랑용 콘텐츠였다면, 자기 얼굴이 제일 잘 나온 사진을 첫 번째 사진으로 사용합니다. 물론 카페라면 분위기 위주, 음식점이라면 음식을 맛있게 보이게 들고 있는 사진입니다. 먹는 장면을 찍은 사진을 올리지는 않습니다. (먹방 인플루언서라면 다르겠지만)

일반인은 제일 잘 찍은 사진은 음식이 나오기 전 사진일 겁니다. 그래서 매장 외부 사진이나 인테리어, 메뉴판 등 사진은 많이 찍었으나 써먹을 사진이 부족합니다. 첫 번째 사진으로 매장 외부 사진을 올릴 수는 없지만, 오픈한지 얼마 안 된 핫플레이스라면 '여기에 와서 먹었다' 보다는 '나도 여기 와봤다. 나도 트렌디하고 힙하다'를 보여주는 사진으로 사용할 수 있으니 첫 번째 사진으로 활용할 수 있습니다.

대부분 코스요리 음식점은 디저트가 나오기 전에 메인 요리가 나오고 가장 화려하게 세팅되어 나옵니다. 이런 사진들은 사실 누구나 찍는 사진이라서 첫 번째 사진으로 사용해봤자 큰 의미가 없습니다. 누구나 그렇게 찍고 이 사진을 올리기 때문입니다.

결국 차별화는 어떤 사진을 촬영하기 전에, 인스타그램에 올릴 콘텐츠를 만들기 전에 다른 사람들은 어떤 사진을 첫 번째로 선택했는지 벤치마킹부터 해보고 여러분의 콘텐츠를 만들 기획에서 출발합니다.

다른 사람들과 똑같은 구도로 같은 사진을 찍을 필요는 없습니다. 내가 인스타그램에서 이 게시물을 올리고 얻는 이득과 인스타그램을 운영하는 목적이 무엇인지를 항상 생각하고 있다면, 사진을 찍을 때도, 첫 번째 사진을 선정할 때도 이유를 찾을 수 있어야 합니다.

저자가 만약 코스요리 음식점을 가서 콘텐츠를 하나 만들기로 했다면, 음식점 홍보하는 콘텐츠나 방문 인증 콘텐츠는 아닐 것입니다. 내가 인스타그램을 하는 목적이 인스타그램을 잘할 수 있도록 사람들에게 알려주는 것이라면 당연히 아래와 같은 기획을 먼저 합니다.

- 인스타그램에 올릴 음식점에서 사진을 잘 찍는 방법
- 음식점 콘텐츠를 올릴 때 찾아가게 만드는 카피 쓰는 법
- 칸바앱으로 음식점 홍보 콘텐츠 만드는 법
- 상위노출을 위한 해시태그 찾아내는 법

기획하게 콘텐츠를 만들기 위한 사진을 찍었을 것이고, 한 번 방문에 촬영한 사진들로 적어도 3~4개의 콘텐츠를 만들게 되었을 겁니다.

첫 사진은 여러분이 올린 게시물을 볼지 말지 결정하는 중요한 관문의 역할을 합니다. 아직 어떤 사진이어야 될지 모르겠다면, 이 말을 기억하십시오.

"사진만 보고도 무엇을 말하는지 알 수 있어야 합니다." 필요하다면 편집 앱을 사용해서 사진에 글이라도 넣으세요. 피드의 톤앤매너가 무너질 것이라 걱정되면, 모든 콘텐츠에 글을 넣어서 통일시키면 됩니다.

내 인스타그램을 성장시키는 10단계 공략법

인스타그램 추천 알고리즘을 보면 최초에 게시물이 등록되면, 1차 검증자는 내가 이미 보유한 팔로워들입니다. 그런데 만약 이제 막 계정을 새로 만들었다면, 내 게시물을 봐줄 사람이 없다는 말이기도 합니다. 그래서 인스타그램 알고리즘은 해당 게시물을 누가 좋아할지 어떤 주제인지 파악하기가 어렵습니다. 집단지성으로 게시물의 품질을 파악할 수가 없습니다.

인스타그램에는 실제 눈에 보이는 계정의 레벨 개념은 없습니다만, 저자는 이 단계를 레벨 1이라고 하겠습니다. 레벨 1에서는 게시글을 올릴 때, 내 팔로워 대신 해시태그로 검색해서 들어오는 다른 유저들을 공략하는 것이 좋습니다.

급한 마음에 준비 단계 없이 바로 시도하는 분들이 있을까 봐 염려되어 아래 단계를 순서대로 꼭 해두고 계정을 성장시키는 방법을 시도해 보시길 바랍니다.

- 1단계 - 계정을 새로 만듭니다. 프로필 영역도 꼼꼼하게 채웁니다.

- 2단계 - 새로 만든 계정에서 다룰 주제를 다루는 계정을 50개 정도 찾아서 팔로우해 주세요. 너무 팔로워 수가 많은 계정보다는 팔로워 1,000개 미만으로 피드가 어느 정도 채워진 활동 하는 계정이어야 합니다. 계정을 찾을 때는 해시태그 검색으로 찾으면 편합니다.

- 3단계 - 올리고 싶은 콘텐츠를 기획합니다. 사진만 올려도 되고 칸바 앱으로 만든 정보성 콘텐츠로 좋습니다. 앞으로 계속 올리게 될 것으로 생각하고 게시물 하나를 올리더라도 정성껏 만들어야 합니다.

- 4단계 - 인스타그램에 즉석으로 올리기에 부담스럽다면, 메모 앱을 사용해서 사진과 함께 올릴 글을 미리 적어두세요.

- 5단계 - 해시태그를 5개 정도만 미리 골라둡니다. 당연히 해당 게시글에 어울리는 해시태그여야 합니다. 그리고 해시태그는 현재 레벨에 어울리지 않는 대형 해시태그를 절대로 쓰면 안 됩니다. 100~1,000건 사이의 해시태그를 골라서 사용하되, 5개 모두 다른 해시태그가 아닌 단계별 해시태그입니다. 이 부분은 바로 다음 장에서 상세하게 다루겠습니다.

- 6단계 - 게시물을 올릴 때, 9시~22시 사이에 여러분이 올릴 게시물의 성격에 맞는 시간대를 선정하여 올려야 합니다.

- 7단계 - 팔로잉했던 계정들을 방문해서 '좋아요', 댓글을 작성하세요. 댓글은 여러분의 계정에도 방문해달라고 요청하면 되는데, 막무가내로 글을 적지 말고, 댓글을 다는 게시물에 공감한다는 내용으로 글을 먼저 적고, 이어서 첫 게시물을 올렸다고 한번 봐주면 좋겠다는 식으로 적으면 됩니다.

- 8단계 - 여러분이 7단계 활동하면, 상대방에게 알림이 갑니다. 그 계정에서 여러분의 계정을 100% 방문해 주는 것 아니겠지만, 일부는 방문하고, '좋아요'나 댓글을 적어줄 겁니다. 아직 게시물이 하나밖에 없을 테니 팔로잉해 주진 않을 수도 있습니다. 게시물이 하나밖에 없지만, 프로필 영역을 자세하게 채워두라는 이유가 여기에 있습니다. 누구에게나 처음은 있습니다. 여러분의 처음에 공감해 주고 응원해 주는 사람도 분명히 있습니다.

- 9단계 - 3단계부터 7단계를 적어도 하루에 1회 반복합니다. (최대 3개) 인스타그램 알고리즘에 여러분들의 계정이 활동을 시작했고, 꾸준하게 같은 주제로 콘텐츠를 발행한다는 것을 알려주는 중요한 과정입니다. 블로그, 유튜브에 관해 이야기하는 책이나 강의를 참고하면, 항상 강조하는 부분은 꾸준함입니다. 시간이 걸리더라도 한 번에 레벨업이 되지는 않으니, 중간에 포기하는 사람이 많은 이유이기도 합니다.

- 10단계 - 성장 속도를 높이기 위해서, 콘텐츠 발행 횟수를 급격하게 늘리는 것은 바람직하지 못합니다. 다만, 10단계에서는 보다 많은 사람이 여러분의 콘텐츠에 반응하도록 마중물을 부어주는 방법이 필요합니다.

10단계를 30일만 해보면, 소위 최적화 계정이 됩니다. 그 후로부터는 게시물에 작성했던 해시태그의 상위노출도 수준에 맞게 발생하고, 탐색 영역에서도 내 게시물이 보이기 시작합니다. 최적화 계정이 된 것을 확인하는 방법은 해시태그 5,000개 수준의 키워드를 달았을 때, 해당 키워드로 검색하면 상위노출이 되는 상태를 말합니다.

새로 만든 계정 기준으로 30일간 만들어야 할 수치는 다음과 같습니다.

- 매일 콘텐츠 게시 1~3건
- 팔로워 10명 늘리기
- 팔로우들 방문 '좋아요', 댓글 매일 각 1개
- 팔로워 30명 달성, 게시글 수 30개 이상
- 해시태그 테스트 후 노출 안 되면 다시 반복

내 레벨에 맞는 해시태그를 찾아내는 방법

팔로워 수가 절대적이진 않아도 왜 필요한지는 이제 이해하셨을 것으로 생각합니다. 내 게시물에 1차 피드백해 주는 집단으로 팔로워 중 평균 5~10% 정도가 '좋아요'를 눌러주는 등의 반응을 한다고 합니다. 여기에 2차 피드백 집단의 반응까지 더 보태지면 수치를 점차 증가하게 됩니다.

팔로워 수가 많다면 5~10%에 해당하는 피드백의 총량이 많아지는 것과 같습니다. 그런 의미에서 결국 팔로워를 늘려가야 내 계정이 성장하는 동력을 얻게 됩니다. 하지만, 사람들은 쉽사리 팔로잉하지 않습니다. 팔로잉을 통해 다른 사람의 콘텐츠를 보는 것보다는 내 팔로워를 늘려 내 콘텐츠를 더 보게 만드는 것에 집중하고 있는 결과입니다. 이제 막 시작한 레벨 1 정도의 계정은 해시태그도 소형키워드 위주로 넣어주는 것이 좋습니다. 저자의 캠핑 인스타그램을 예로 들어보겠습니다.

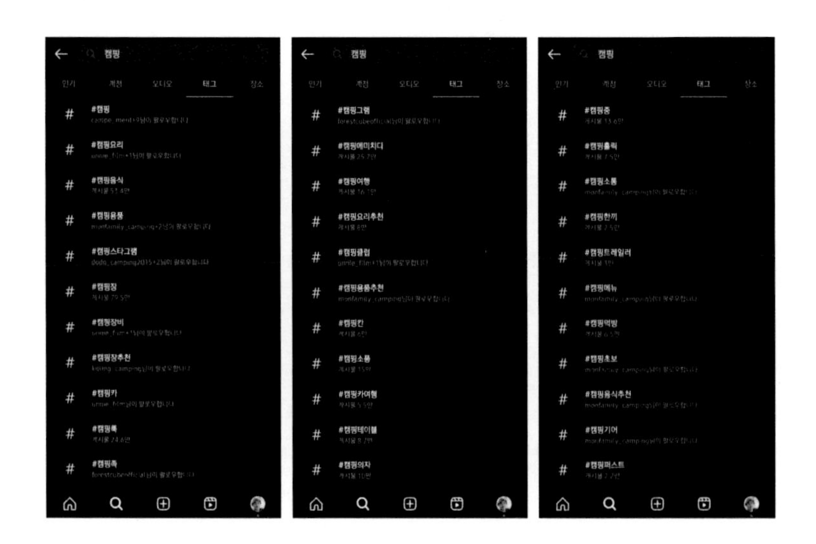

인스타그램에서 검색에 '캠핑' 단어를 넣어 결과를 추출합니다. '캠핑'은 대 카테고리에 해당하는 단어이며, 캠핑의 의미를 가지고는 있지만, '불멍', '아웃도어'는 별개의 키워드로 찾아보는 것이 좋습니다. 우선 '캠핑'이라는 단어가 붙는 해시태그를 전부 찾아보면 55개가량 찾아낼 수 있었습니다. 이 중에서 레벨 1 계정에 맞는 해시태그는 사용량이 500개 미만 정도라고 가정하겠습니다. 해시태그 검출 결과를 모두 메모장이나 엑셀에 옮겨적고, 해시태그를 하나씩 눌러보면 정확한 수치를 알 수 있습니다.

이를 다시 분류해서, 캠핑 / 요리 / 장비 등 그룹화하는 느낌으로 다시 구분할 수 있습니다. 예를 들면, 캠핑요리, 캠핑음식, 캠핑먹방, 캠핑요리추천, 캠핑한끼는 요리라는 주제로 묶을 수 있습니다.

캠핑의 일반 카테고리로는 위와 같이 해시태그를 추출하고 각각 게시물 개수를 파악해 볼 수 있습니다. 시간이 오래 걸리는 과정이지만, 앞으로 우리가 사용할 해시태그를 미리 파악해 두고 내 계정의 레벨에서 노출이 되는 수준인지를 확인하기 위해서는 반드시 한 번은 정리해야 될 과정입니다.

그리고 계정을 운영하다 보면 생각지도 못한 관련 해시태그들을 발견하게 되는데 그 단어들도 게시물 개수를 확인해서 추가로 정리해 둬야 합니다.

#캠핑은 808만 개로 초대형 해시태그입니다. 레벨 1단계에서 사용할 수 있는 해시태그는 위에서는 없지만, 게시물을 하나 올릴 때 내 레벨이 어느 정도인지 가늠해 보기 위해서는 100~500, 500~1000, 1000~2000, 2000~5000 이런 식으로 유사 키워드를 구분해서 가장 센 해시태그부터 약한 해시태그까지 5~6개 정도를 순서 관계없이 사용합니다.

그리고 캠핑요리를 주제로 사진 찍고 게시물을 올린다면, 캠핑요리의 의미를 포함하는 해시태그를 사용하면 됩니다. 해시태그를 한 번에 사용할 수 있는 개수는 총 30개이지만, 욕심부려서 모두 채워 넣을 필요는 없습니다. 좀 많이 사용한다고 해도 캠핑 관련 해시태그 5개, 요리 관련 해시태그 5개, 분위기 관련 해시태그 5개 이런 식으로 중복성을 가지는 해시태그를 사용하는 것이 바람직합니다.

인스타그램 광고대행사의 상위노출 노하우

인스타그램의 유료 광고의 역할은 내 팔로워 이외의 유저들에게 내 게시물을 노출하는 것입니다. 노출되면 해당 게시물을 보는 것은 광고에 노출된 사람들이 터치해서 보느냐 마느냐에 달려 있습니다. 즉, 게시물 자체가 매력적이지 않다면 클릭 단가가 높아집니다. 만 원을 쓰고 1,000명에게 노출할 계획이었으나 100명에게만 노출된다는 뜻이므로 결국 유료 광고를 사용해도 여러분의 게시물이 매력적이지 못하다면 확인하지 않는다는 것입니다. 그런데도 초기에 팔로워가 없는 계정에서는 적은 비용으로 내가 특정한 타켓 집단에만 게시물을 노출할 수 있으므로, 매력적으로 느껴질 수 있습니다. 인스타그램 유료 광고 집행 방법은 유튜브나 네이버 블로그에서 찾을 수 있습니다.

비슷한 비용을 사용하지만, 여러분의 게시물에 ['좋아요'], [댓글], [공유], [저장]을 원하는 수만큼 살 수 있다면 그 효과는 확실하지 않을까요? 지금 당장 인스타그램에서 검색해서 XX동맛집 태그를 찾아보세요. 그러면 광고 게시물들이 대부분 상위에 노출된 것을 확인할 수 있을 겁니다.

예시로 살펴본 #해운대맛집 해시태그는 총게시물 191만 개로 대형 키워드에 속합니다. 여기에 상위 노출된 계정들은 인스타그램 레벨이 얼마쯤 되길래 저기에 노출되어 있을까요? 얼마나 오랫동안 계정을 키웠을까요? 콘텐츠를 만들 때 얼마나 오래 기획하고 디자인했을까요? 그런데 왜 똑같은 게시물이 여러 개 보일까요? 사진은 같은데 왜 글자 색만 다를까요? 글자는 똑같은 디자인인데 사진이 다를까요? 여러분도 한 번 지금 검색해보세요. 이 책을 읽을 때쯤엔 아마도 다른 게시물이 도배되어 있을 테지만 저자가 말하는 것에서 크게 벗어나 있지 않을 겁니다.

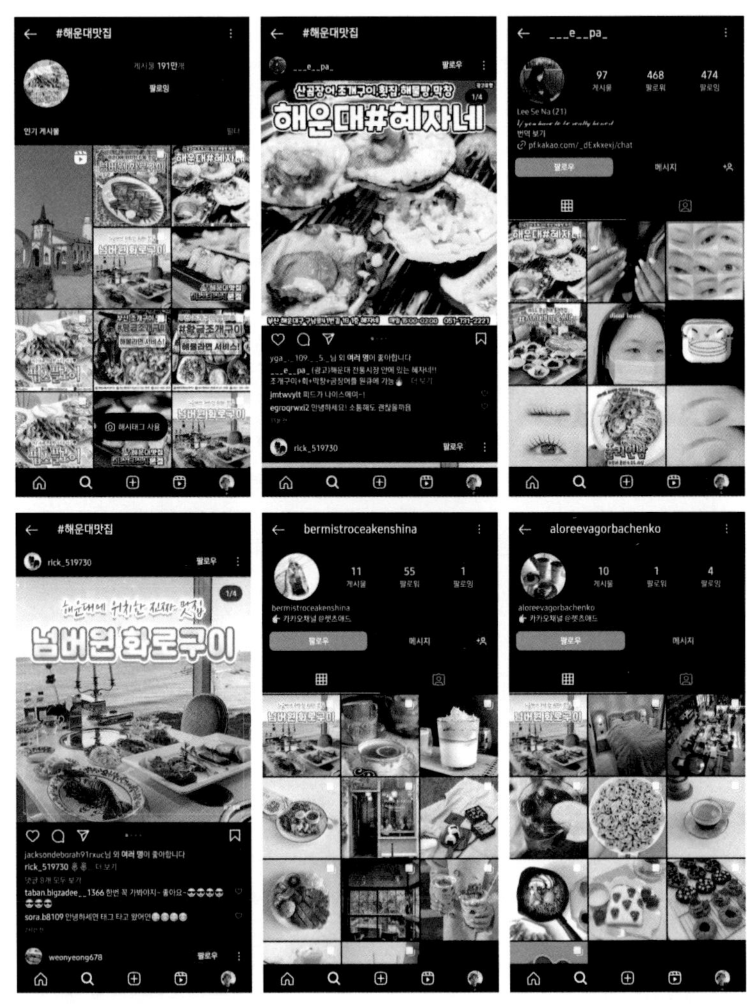

해운대 혜자네를 올린 어떤 계정은 피드가 좀 이상합니다. 음식점, 손톱 다듬기, 눈썹라인, 속눈썹 딱 봐도 계정 주제가 없습니다. 그리고 팔로워가 500도 안 됩니다. 넘버원 화로구이 게시물을 올린 두 개의 계정은 팔로워 55, 심지어 팔로워 1입니다. 어떻게 이런 계정에서 191만 개 해시태그의 상위노출을 만들었을까요?

그 방법은 바로 트래픽 몰아주기 방식을 사용했기 때문입니다. 191만 해시태그에 상위노출을 시키려면 어마어마한 '좋아요' 수치가 필요합니다. 공유하기나 댓글, 저장 수치도 함께 필요합니다.

상위 노출된 게시물이 등록된 계정을 확인해 보겠습니다. '좋아요'를 누른 사람들의 리스트는 누구나 열람할 수 있습니다. 그런데, 계정 아이디가 다 이상하네요. 프로필 사진이 없는 건 그럴 수 있다고 치지만 전부 다 외국인 계정입니다. 그리고 댓글을 확인해 보니 프로필 사진은 외국인인데, 한국어로 댓글을 남겨놨습니다. 해당 외국인 계정으로 들어가 보니 역시 외국인입니다.

독자 여러분 아시겠나요? 네이버에서 찾아보면 '좋아요'와 팔로워를 늘려준다는 업체들의 서비스를 이용해서 게시물에 트래픽을 몰아주고 상위 노출을 시켜둔 결과입니다. 게시물을 올려둔 계정 자체도 꼼수로 걸려서 계정삭제가 되어도 아깝지 않은 생성한 지 얼마 안 된 계정이고요. 이런 식으로 오로지 해시태그의 상위노출만 목적으로 운영하는 유령 계정들이 어마어마하게 많습니다. 그건 계정의 게시물에 '좋아요' 트래픽을 몰아주는 것 역시 유령 계정입니다.

이런 방법을 사용할 때 이상한 점을 눈치챌 수 있으니 한국인 계정으로 작업을 하기도 합니다. 그래서 외국인 계정으로 '좋아요'나 팔로워 수를 늘리는 것은 한국인 계정보다 훨씬 저렴합니다.

원하는 바가 있다면 끊임없이 요구해야 합니다

유튜브 자주 보시나요? 항상 유튜버들이 영상의 처음, 중간, 마지막 부분에 잊을 만하면 구독과 '좋아요', 알림 설정까지 해달라고 외칩니다. 이제 너무 자주 들어서 가끔 아무 말도 하지 않는 유튜버를 보면 어색하기도 합니다. 왜 이렇게 계속 구독과 '좋아요'를 해달라고 할까요? 말해야 그제야 사람들이 생각이 들기 때문입니다. 물론 하고 말고는 콘텐츠가 좋아야 함에 딸린 일이지만, 재미있고 도움이 되는 영상을 만들었어도 유튜버가 요청하지 않으면 시청자는 잊어버립니다.

심지어는 '좋아요', 구독, 알림 설정이 어디 있는지도 모르는 사람도 있습니다. 그래서 영상에서 말로만 하지 않고, 손가락으로 위치를 가리키면서 눌러달라고 합니다.

유튜브에서는 영상을 시청해야 영상에 붙은 광고를 보게 만들고, 광고 수익을 얻습니다. 구독자가 많아져야 내 영상을 꾸준히 봐줄 사람이 생깁니다. '좋아요'를 많이 받아야 구독자 이외의 유튜버 유저들에게 노출됩니다. 그러니 유튜브 채널을 운영하면서 광고 수익을 얻기 위한 목적을 달성하려면 유튜브에서도 욕망을 드러내야 합니다. 우리나라 사람은 돈 이야기가 나오면 싫어하는 경향이 있습니다.

그래서 구독과 '좋아요'를 눌러주시면 제가 광고 수익을 더 많이 받아서 돈을 많이 벌 수 있으니 꼭 해주세요. 이런 식의 말은 하지 않습니다. 다만 영상을 만드는 데 힘이 되고 응원이 된다고 에둘러서 표현합니다. 시청자는 '좋아요' 한 번 눌러주는 데 딱히 돈이 드는 건 아닙니다만, 까먹어서, 귀찮아서 하지 않고 다시 다음 영상을 보기에 급급합니다. 그래서 구독자 수를 넘어 튼튼한 커뮤니티를 만들기 위해 주기적으로 유튜브 라이브도 하고 구독자 이벤트도 하고 어장관리를 하는 것입니다.

인스타그램과 다를 바가 하나도 없습니다.

유튜브에서 일어나는 일을 그대로 인스타그램에서도 할 수 있고, 또 그렇게 하는 사람들이 많습니다. 사실 이건 플랫폼과는 아무 상관 없는 마케팅 행위일 뿐입니다. 우선 많이 사용하는 방법 몇 가지만 알려드리도록 하겠습니다.

첫 번째는 구독과 '좋아요'를 눌러달라고 외치는 것처럼 인스타그램 게시물을 등록할 때 10장의 사진 중 하나에 적어두는 것입니다. 예시는 다음과 같습니다.

집필하면서 캠핑용품을 소개하는 게시물을 하나 올려봤습니다. 첫 사진은 캠핑용 커피용품이라는 걸 알리는 문구가 들어갔고, 10장의 사진 중 마

지막은 칸바앱에서 5분 만에 급조해서 만든 요청사항 안내 문구가 들어간 이미지입니다. 인스타그램에서 각 아이콘이 의미하는 바를 아이콘 옆에 텍스트를 넣어 설명하여 해당 기능을 사용해 보지 않은 사람들에게 친절하게 안내도 했습니다. 이것조차 몰랐던 사람에게는 정보가 되는 것이죠.

게시물을 올리고 바로 노출, 도달 트래픽을 올려주고, '좋아요'도 100개 구매해 보았습니다. 댓글도 몇 건 구매하고요. 당연히 전부 한국인 실 계정만 사용했으므로 외국인 계정보다는 다소 비용이 들어가는 편이지만, 댓글도 자연스럽고 트래픽이 다양하게 들어오니 저자가 게시물을 등록할 때 사용했던 해시태그들 일부는 상위노출이 되었습니다. 아직은 백만 회가 넘어가는 해시태그는 어림도 없긴 합니다만 계정이 성장하면서 점차 트래픽을 넣었을 때, 대형 해시태그에도 최상위 노출이 가능해질 것이라 예상합니다.

저자의 캠핑 계정은 실제 운영하는 계정이고, 최적화가 된 상태라서 트래픽 작업은 굳이 할 필요는 없지만, 인스타그램 계정의 레벨에 상관없이 구매한 트래픽으로도 상위노출을 시키고, 1차 검증과 2차 검증 단계를 빠르게 통과할 수 있게 부스터를 달아주는 개념으로는 사용할 수 있습니다.

이 게시물에서 저자는 마지막 페이지에서 피드백해달라고 요구하였고, 이를 본 유저들이 요구사항대로 100% 해준다고 볼 수는 없지만, 다른 게시물과 비교해 보면 더 많은 피드백을 받을 수 있는 조건은 만들어 둔 것입니다. 사진 보정 기능은 인스타그램에서 할 수 있지만 사진에 글자나 도형을 넣는 단순한 편집디자인조차 불가능하니 꼭 글그램 / 칸바 / 미리캔버스 등 스마트폰에서 가볍게 사용할 수 있는 디자인 애플리케이션을 하나쯤 꼭 사용법을 익혀두시기를 바랍니다.

인플루언서도 가끔 이벤트를 해야 합니다

언젠가부터 인스타그램에서도 팔로워 5000 달성 기념 이런 이벤트를 자주 하는 개인 계정들을 심심찮게 만날 수 있습니다. 비싼 선물은 아니지만, 팔로워들과 이벤트를 하다 보면 좀 더 튼튼한 커뮤니티가 구축되고, 이를 기반으로 공동구매를 진행할 때도 도움이 됩니다. 특히 업체에서 협찬받을 때, 제품 일부를 팔로워들에게 나눠주는 방식도 많이 쓰입니다.

업체에서도 직접 대행사를 통해서 인스타그램 마케팅하지 않고 자체적으로 이벤트를 진행하는데, 팔로워 이벤트, 리그램 이벤트, 퀴즈 이벤트 등이 있고, 이벤트 진행할 때, 친구소환이나 다른 계정을 팔로잉하라는 등 다양한 조건을 걸어서 계정을 키우는 데 노력합니다.

유통, 제조 브랜드에서는 제품을 제공해도 크게 부담이 없습니다. 마진 없이 제품가격만 지출되지만, 대행사 광고비보다는 훨씬 싸게 먹힙니다. 인스타그램에서 #이벤트 #리그램 #팔로우 단어로 검색해 보면 다양한 이벤트 사례를 볼 수 있으니, 여러분도 굳이 고민해서 이벤트를 진행하지 말고, 벤치마킹해서 여러분 계정에서 할 수 있는 이벤트를 진행하시기를 바랍니다.

인스타그램에서 이벤트를 진행하면, 당연히 체리피커도 꼬이게 됩니다. 이벤트 해시태그만 검색해서 응모만 하는 헌터 계정도 있습니다. 리그램 이벤트는 참여 기간 동안 자신의 계정에 업체의 리그램 게시물을 홍보하고 있어야 하므로 피드의 톤앤매너를 해친다는 우려로 이벤트 참여만 하는 전용 계정을 운영하기도 하죠.

공짜라면 양잿물도 마신다는 옛말이 괜히 있는 건 아닌가 봅니다.

체리피커들은 이벤트 발표 전까지는 팔로잉을 유지하다가 본인의 당첨 여부와는 상관없이 리그램 게시물 삭제, 팔로잉 취소합니다. 어찌 보면 당연한 행동일 수 있습니다. 누가 자기 집 담벼락에 업소 포스터를 계속 붙여두고 싶을까요?

그래서 이벤트를 진행하는 계정에서는 이벤트 기획을 잘해야 합니다. 몇 가지 정리해 보자면 다음과 같습니다. 참고해서 여러분도 적용해 보시기 바랍니다.

- 이벤트 상품은 가격 단계를 10배씩 적용할 것 - 1등에 해당하는 상품이 소소한 것이라면 이벤트 참여 자체를 안 하게 됩니다.

- 배송해야 하는 상품 수량을 많이 걸지 말 것 - 택배비도 많이 나오고, 당첨자 주소를 취합하기도 어렵습니다. 모바일 커피 쿠폰이 좋습니다.

- 기브앤테이크를 분명하게 밝히세요 - 이벤트 참여 조건, 당첨자 선정 조건, 당첨 후 당첨자에게 요구할 것 이렇게 구분하면 조금 비싼 경품을 걸어도 체리피커가 많이 줄어듭니다. 특히 여러분을 대신해서 제품과 매장 사진을 찍어주고 올려주는 등 확실한 피드백을 받으려면 상품의 가치가 있어야 합니다.

- 이벤트 진행 전에 사전공지를 하세요 - 언제 어떤 내용의 이벤트를 시작한다는 게시물을 올려 기대치를 높이고, 한 번에 이벤트 게시물에 트래픽이 몰리도록 하세요. 라이브쇼핑에서 사전공지를 하는 이유나 와디즈에서 오픈 예정으로 바람을 잡는 것과 같은 이치입니다.

- 당첨자 선정은 내 계정의 성장에 유리하게 하세요 - 그냥 무작위 랜덤으로 당첨자를 뽑는 것은 아무런 의미가 없습니다. 이벤트 참여 댓글만 봐도 체리피커인지 원래부터 팔로워였는지 알 수 있습니다. 이왕 선정할 거라면 공정하되 여러분의 계정에 도움을 줄 수 있는 참여자를 선정하세요. 특히 당첨자의 조건으로 제품을 받거나 매장을 방문해서 서비스받을 때는 인스타그램이나, 블로그, 유튜브 등에 콘텐츠를 올려줄 수 있는 사람을 대상으로 선정하는 것이 서로 도움이 되는 방법입니다.

- 당첨자 발표는 이벤트에 공지한 대로 분명하게 진행하세요 - 발표 약속 시간, 발표 방식, 당첨자 공개 여부, 개별 DM 발송 등 이벤트 후에 잡음이 많이 생깁니다. 당첨자는 자신이 왜 당첨되었는지 궁금하지 않지만, 미당첨자는 당첨된 사람들이 어떤 계정인지 뒷조사도 하고, 자신이 떨어진 이유를 공개하라고 DM을 보내오기도 합니다.

- 이벤트 게시물의 문구는 찾아보고 벤치마킹하세요 - 인스타그램에서 이벤트 게시물을 찾아보면 기발한 아이디어로 잘 정리된 글이 많습니

다. 문구를 짜내려고 고민하지 말고 잘 정리된 글을 여러분의 사정에 맞게 수정해서 사용하세요.

- 이벤트는 너무 자주 하지 마세요 - 이벤트를 진행할 땐 명분이 있어야 합니다. 신제품 출시, 새로운 메뉴 출시, 팔로우 10k 달성 기념 등 이유 없이 이벤트를 하면 사람들에게 각인되지도 못하고 경품만 낭비하고 말게 됩니다.

- 팔로워가 얼마 되지 않을 땐 이벤트를 하면 안 됩니다 - 중복당첨자 발생 확률이 높고, 당첨자 선정에 공정한 느낌을 주지 못합니다.

- 주고 싶은 사람에게 주세요 - 이벤트 게시물을 올릴 때, 추첨방식에 선정 사유를 명확하게 작성하세요. 가끔 인스타그램에서 확인할 수 없는 혹은 확인하기에 너무 어려운 조건을 내걸어서 당첨자 발표가 안 되는 일이 있습니다. 예를 들면, 댓글을 제일 많이 단 사람을 뽑겠다는 둥 친구소환을 제일 많이 하는 사람을 뽑겠다는 둥 (귀찮은 선정 방식은 처음부터 배제하세요.)

별책부록

저자가 직접 컨설팅을 해드립니다

이 책을 다 읽고도 어떻게 해야 할지 모르겠다면, 저자와 만날 기회를 가질 수 있습니다. 아래 내용을 읽어보시고, 반드시 저자를 만나서 컨설팅을 받아야 하겠다고 생각하는 분만 신청하시기를 바랍니다.

무료 컨설팅 조건은 다음과 같습니다.

1. 무조건 이 책을 완독하신 분만 컨설팅을 받을 수 있습니다.
2. 의지가 약해서 실행이 안 되는 분을 저자가 동기부여 할 수 없습니다.
3. 단순한 기능적인 문의는 유튜브에 다 있으니 직접 찾아보세요.
4. 컨설팅 문의는 인스타그램 @yoondle_official 계정으로 DM 보내세요.
5. 구매인증을 요구할 수 있습니다.

컨설팅을 받으신 분들은 반드시 전후의 성과를 공유해 주셔야 합니다.

1. 컨설팅으로 변화하고자 하는 목표를 정확하게 말해주세요.
2. 본인의 상황(매출 등) 숨김없이 말해줄 수 있어야 합니다.
3. 컨설팅 내용은 실명 공개 없이 저자가 활용할 수 있습니다.
4. 직접 만날 때에는 모든 조건의 저자에게 맞추어야 합니다.
5. 온라인으로 가능하다면, 화상으로 컨설팅을 할 수 있습니다.
6. 컨설팅 시간은 기본 1시간이며, 초과할 때 1시간 단위로 컨설팅 비용을 청구합니다. 1시간당 30만 원입니다.

소상공인과 인플루언서 필독서

자영업자의 홀로서기 마케팅

발 행 | 2024년 04월 30일
저 자 | 이 동 윤

펴낸곳 도서출판 윤들닷컴
출판사등록 2017.06.01.(제2017-000017호)
주 소 부산광역시 해운대구 선수촌로 146-4, 101-1202
전 화 010-9288-6592
이메일 orangeki@naver.com
ISBN 979-11-92581-19-4

www.yoondle.com